그
라
시
재
라

서남 전라도 서사시

그라시재라

조정 시집

조 정 | 서남 해안 지역인 전남 영암이 고향이며, 2000년 한국일보 신춘문예(시 부문) 당선, 2007년에 시집 〈이발소 그림처럼〉, 2017년에 제주 강정마을의 아픔과 생태를 주제로 장편동화 〈너랑 나랑 평화랑〉을 출간했다. 2011년 거창평화인권문학상, 2022년 노작문학상 수상.

조 정 시집

그라시재라

발행일 | 2022년 6월 15일 1판 1쇄
　　　　2023년 10월 30일 1판 2쇄

지은이 | 조 정
편집 | 마담쿠, 코디정
본문 디자인 | 정우성
표지 디자인 | 김선미
마케팅 | 우섬걸

펴낸곳 | 이소노미아
　　　　서울시 종로구 율곡로 2길7 서머셋팰리스 303호
　　　　T | 010 2607 5523　　F | 02-568-2502
　　　　Contact | h.ku@isonomiabook.com
펴낸이 | 구명진

ISBN 979-11-90844-01-7

이 책의 시편들이 한 권의 책으로 묶여 세상에 나올 때 경기문화재단 창작지원을 받았습니다. 이 책이 출간된 다음, 수많은 독자가 뜨거운 반응을 보내주셨습니다. 그리고 시인은 제22회 노작문학상을 수상했습니다.

나무의 목숨이 헛되지 않는 책

나는 꽃 중에 찔레꽃이 질로 좋아라

우리 친정 앞 또랑 너매 찔레 덤불이

오월이면 꽃이 만발해가꼬

거울가튼 물에 흑하니 비친단 말이요

으치께 이뻔가 물 흔들리깜시

빨래허든 손 놓고 앙거서

꽃기림자를 한정없이 보고 있었당께라

전라도 말은 살아있다

조
정
시
집

목차

그
라
시
재
라

시인의 말

사노라면 굳이 살아지니라.
삶은 구슬과 같다.
금간 구슬도 고요히 아름다운 법이다.
꿰어두어라.

나는 할머니들 곁에 앉아 그것을 배웠다.
동화책을 읽거나 숙제를 하면서
이불 속에 누워서 할머니들의 이야기를 들었다.
이불깃을 끌어 올리며 눈물을 흘리기도 했다.
1960년대 시골 마을 집집에는 농로에 물 흐르듯
무명옷차림의 이야기가 흘렀다.
그들의 웃음소리가 생각난다.
그 시절을 어떻게 어우러져 사셨을까?
그 많은 이야기 가운데
지금껏 기억에 남은 이야기들 중심으로 글을 꿰었다.
대부분 비온 뒤 물꼬 터지듯 편편 기억들을 받아 적었
으나 그중 너댓 개 구슬은 많이 부서져 온전치 못했다.
주변 어른들께서 몇몇 조각난 이야기를 이어붙여 주셨
다. 그도저도 안 되면 내 속의 여자아이와 함께 안개 낀
기억을 더듬으며, 그날들의 향기나 슬픔을 주워 엮기도
했다.

그 옛날 마실꾼 할머니들께 이 시집을 바친다.

1

나무칼로

귀
를
비
어
가
도

모
르
게

1부 나무칼로 귀를 비어가도 모르게

달 같은 할머니
분통 같은 방에 새각시
자식은 맘대로 못해
진눈깨비 부고
하늘이 굽어볼 것 아닌가
오진 꼴
누가 더 박복한고
형님 아들은 냅둬야 좋을 애기요

달 같은 할머니

할무니 애렜을 때도 달이 저라고 컸어요?

아먼 시방허고 똑 같었재

할무니는 추석에 뭐 했어요?

우리 아바님 지달렸재

할무니도 아부지 있어요?

그라재 아배 없이 난 사람이 있다냐

으디서 지다렸어요?

동네 앞에 사에이치 비석 있지야 전에는 거그 큰 소낭구가 있었는디 거그서 지달 렸재

할무니 혼자요?

아니 우리 성허고 동상허고 항꾼에 지달 리재 아바님은 저녁에 해가 지우러야 오 싱께 혼자 지달리면 무서와 그때는 할무 니도 똑 너 같이 생겼어야

할무니가 나랑 똑같었어요?

그라재 할매도 너같이 열 살일 적 있었고 열한 살일 적도 있었니라

와~ 최고 이상허네

이상헌 거이 아니라 사람은 다 애기로 나 서 할아부지 할무니가 되는 거시여

그럼 나도 나아중에 할무니가 돼요?

18

안 그라믄 좋재 좀도 좋재 그란디 누구나 다 그리 된단다 악아

할무니는 추석날 되면 머 했어요?

우리 아바님은 먼 데 장사 다니신께 집이를 잘 못 오세 글다가 추석 되면 우리 댕기도 끊고 저구릿감도 끊어서 가꼬 오셨재 우리 아바님이 사온 국사로 엄니가 밤새와 추석빔 맹글어 주면 그 옷 입고 달맞이 허고 강강술래도 뛰고 그랬재

그때는 할무니도 여기 팔뚝 살이 흐렁흐렁 안 했어요? 다리도요?

아이고 이노무 새깽이 그때는 할매 살도 희고 탄탄했재 너마니로

진짜로 할무니가 열 살일 때가 있었다고?

아먼 진짜재

할무니 그란디 왜 달은 안 늘그고 계속 그때랑 지금이랑 똑 같어요?

금메마다 달은 안 늘근디 어찌 사람은 이라고 못 쓰게 되끄나이

할무니 못 쓰게 안 되얐어요 달 같이 이뻐요 참말로요

19

성님, 혹간 가실에 요량해둔 석류 한나 있
으까요

석류? 석류를 으째?

밴밴차난 메느리가 애기 슨갑소 자꼬 생
각난닥 안 하요

오메오메 시상에 박수를 칠 일이시 잘 왔
네 항아리에 감 쟁임서 지푸락 엮어서 석
류도 서너 개 너났네

오메 내 짐작이 딱 마젔구만! 상감마마 앞
에는 없어도 성님네는 있으꺼이다 했어라

가만 있어보소이 존 일잉께 우리 영감님
한테 말씀 디릴라네

오메오메 놈 없는 애기라요 혼연허먼 으
레껏 생기재 그라실 것 없어라 성님

놈 없는 애기가 먼 소리당가 육요 지남서
자네 집 식구 줄고 고샅이 호젓했는디 인
자 애기 우는 소리 날 것 아닌가 이 사람아

아가, 느그 할매가 너 끼고 사는 것 부러뵈
드니 나도 손지 생긴다 우리 메느리가 석
류 찾는 것 봉께 니 같은 딸을 날랑가 어짤
랑가

할무니는 아들이 좋아요?

아니여 딸도 좋고 아들도 좋재 몯딸은 살림 밑천이란 말이 있니라

어야 윤재네 이리 올라와 저 합 잔 내래주소 키 큰 자네가 내래주먼 솔하재

석류가 장꽝에 있다고 안 하셨소?

아니여 전에 짜논 미영베 쪼깐 줄라고 그라네 애기 나먼 어따 써도 쓸 데가 있니

어짜꼬! 빽다구 아프게 짠 것 어찌 주신다요 성님 감사하요

윤재 각시 온다고 자네가 아래채 대비허고 장판에 지름 믹애 분통 같이 신방 꾸매주는 것 봄서 이런 날 올 것이다 했네만 고마운 일 아닌가

예 성님, 즈가부지 난리 때 가불고 어찌 사꼬 했는디 옹사건 살림이라도 인자 훈짐이 돌아라

이, 쩌번창께 봉께 서방이 구루마 *끄꼬* 각시가 밀고 감서 머시라고 이약이약 헌디 여간 다정시럽고 저것들이 느저구가 있구나 했네

예 우리 윤재가 생전 성 낼 줄을 모르는
애기 아니요 중매쟁이가 신랑감 속 좋기
로 치면 조선에 일등이라 했다요 근디 우
리 메누리도 징하게 순순해라 시집 온 날
부터 이무럽게 엄니엄니 자주도 불러싸요
메누리 온 뒤로는 내 시름을 날마동 누가
바지게로 져내는 것맹키 맘이 가부와라

자네 복이시 나무칼로 귀를 비어가도 몰
르게 내우간 재미지게 살먼 그것이 큰 효
도재

자식은 맘대로 못해

어야마시 내가 오늘 돈 내고도 못 볼 굿을 봤네

홍재했네이 혼자 꼬순 웃음 웃지 말고 토로 해보소 굿이라면 쌈굿도 좋다는 우리 도출네 보타지것네

교동리 고주사 안 있소 그 집 두째가 징하게 부잡한 놈이어라 그것이 또 학교서 난리를 쳤능갑씁디다

그 애기가 우리 조카허고 한 학년이여 머시마가 느자구가 없다등만 가방도 없이 학교 오는 일이 비일비재허다여

금메 말이오 그놈이 오늘 퇴학 당해부렀다요

오메 으째야쓰꼬 매를 들어서라도 갈쳐야재 만리창창헌 애기를 퇴학이 먼 말이당가

담배 피다 걸려서 교무실로 끼께 갔는디 선생이 나무란다고 의자를 치께 들고 교무실 유리창을 뚜드러 뿌수고 아조 학교를 저서부렀능갑써

오메 어짜꼬 뭔 일이다냐 그노무 자석 폴써 날 샜구만 구져도 그라고 구지당가?

24

고주사가 용코로 걸려 부렀네 엥가니 내
젓고 살드만 지 자석한테 용코로 걸려 부
렀어

자네는 뭔 일로 학교 갔다가 유리창 뚜드
러 뿌순 것을 봤능가?

아니어라 사고 친 놈은 니미 이런 노무 학
교 안 댕긴다고 으디로 나가불고 즈가부
지가 학교 불려가서 뿌서진 유리창값 기
물값 다 물어주고 오다가 아들놈허고 국
민학교 교문에서 짜빡 마주쳐분 것이재

오메오메 고주사 성질에 다리 몽댕이 분
질렀을 거인디 자네는 노무 새끼 맞는 거
시 재미져서 고라고 웃었능가?

오메 누가 맞어라 고주사 두째 그놈 밸놈
입디다 즈가부지 얼굴 딱 보드니 두말도
않고 돌아서 학교 운동장으로 째는디 비
호 같드만 으찌케 고라고 재바르까 고주
사가 쫓아가다가다 분은 나고 새끼는 안
잽힝께 악을 쓰는 거여

머시라등가?

저놈 잡어라아 동네 사람들아~ 저놈 잡어

죽이먼 논 닷 마지기 이전해줌세~

워메 차말로 염병허네 먼 일이라냐 지멋 대로 시상 것고 살든 사람이 훌떡훌떡 뛰 다 죽겄구만

아조 눈 뜨고는 못 볼 귀경이었당께 배창 시 뒤집어진 중 알았어라

자석 맘대로 못 하재 자석은 맘대로 못 해

하이튼 부자간에 그 큰 운동장서 담박꿀을 치는디 저마다 첨에는 이것이 웃을 일잉가 어짱가 노무 자석 일이라도 성가세 죽겄다 가 고주사가 악을 씀서 꼬랑지 불붙은 뿌 사리마니로 뛴께 배창시 잡고 웃었당께 학 교 앞 문방구 박샌 말이 걸작이여

아재! 논 닷 마지기는 탐나요마는 사람 잡 고 패가망신 허깜시 뜻을 못 받들어 아심 찬하요~

먼 일이여 이 사람아 문짝 뿌서지것네 월
출산 호랭이 내래왔능가?
성님네 모름 윤바우가 죽어부렀어라
윤바우가! 아척에도 우리 영감님허고 소
작 땀시 이라고 저라고 타읍 허고 가든디
이것이 먼 소리당가

외지 노름꾼들이 지난달부터 청문네 사랑
서 안 살았소 거그서 소 잽히고 화토짝 쥐
었능갑써라 윤바우댁이 저녁밥솥에 불 땐
디 그 작것들이 와서 두말도 없이 소막 들
어가 소앙치를 끄꼬 가드락 안 하요

오메오메 어째야쓰끄나 거년에도 나락 스
무 섬을 그놈들한테 다 뽈려불드니이 윤
바우는 그놈들허고 쌈이 나서 그리 됐다
등가?

아니여라 소앙치 끄꼬 나강 것 보고 말래
서 뛰어내림서 배락같이 소락데기를 질르
드만 그질로 허청 들어가 농약 시 병을 틀
어서 둘러마세부렀다요
윤바우떡이 뜸물 입에다 들어붓고 뱅남이

28

가 들쳐 업고 읍내 빙원으로 담박질 했는
디 밸로 손도 못 썼능갑소. 우리 갱문이 아
배가 빙원까장 들고 뛰어갔다가 오메 윤
바우 죽어부렀네 내 벗 잃엇네에 허고 시
방 들옴서 퍽퍽 우요야

오메 윤바우 짠해서 으짜끄나 가실 타작
끝에 화토짝 잡는 거시 빙이재 내불 데가
없는 사람인디 오메 내 채에 끈타불 떨어
지먼 인자 누가 감어주꼬 그 엽엽헌 사람
으째야 쓰끄나아

·

어야 성용네 자네 시아재 보성 갔능가?

갔재 안 가것능가 몰게 댕길 때도 빙을 허고 댕개 쌌는디 인자 다 볼가져부러서 여럼스럼 없능갑대

자네 성질에 으찌케 보고 있능가 그 염뱅을

화순떡 욕은 허지 마소 사람 좋고 싫은 것이 인력으로 되가니

아따 성님은 도량이 부체님이요. 노무 서방이라도 나는 미와 죽것등만

우리 시아재가 죄인이여 노무집 존 딸 데레다 그라고 맘고상 시긴께 내가 동숭 볼 낯이 없당께 소앙치 새끼맨치로 순한 눈을 보면 내가 죄인 되야가꼬 무단히 맘이 벌레벌레한단 말이여

자네 동숭이 영판 순하등만 서방이 그라고 들락개린디 쥐어뜯도 않고 보라꼬만 있능갑서

긍께 말이요 우리 동숭이 고런 거슨 화순떡한테 배와야써라 아먼 배와야써 아무 죄 없는 서방을 맥살잽이해서 들었다낫다 해분께 바람이 머시여 만사에 깨갱허고

사요안 우리 사둔댁이 점잔한 댁이고 당사자도 순한께 무섭게 생각을 안 하요 그 웬수가

느그 시아재가 내 서방이면 폴쎄 조사부렀재 나는 그 꼴 못 봐야

좋아 지내는 여자가 있으면 있다고 고하재마는 참말로 우멍한 짓꺼리를 했당께 장개 간 지 한 달이나 되야쓸 때 엄니한테 저 여자는 사재같어라 자다가도 무선증 나서 못 살것소 그라드랑께 그랄라먼 첨부터 혼사를 말재

보성 여자가 청상이람서

그란다요 반란 때 서방이 학살 되얐단디 미인이라요

자네 동승도 으디 가나 깨깟헌 인물인디 그보다 더 이뻐당가?

그 정도가 아니고 절세미인이라여 김지미 빰치고 최은희가 울고 간다대

워메 지 입으로 그라고 시붕거리등가

이 내가 살살 꼬새서 입을 열었재 데렌님 그 여자는 노무 헌 여잔디 머시 그라고 좋디여 이뻐요? 속이 좋소? 그랑께 낯색이

마땅해가꼬 자랑이 늘어지대

워메 창아리 빠진 인사

어찌끄나 자네 동숭 참말로 안 되얏네 자
네라도 따숩게 허소

시아재가 기언치 못 살것노라 항께 앞일
이 어짤랑가 모르재마는 같이 사는 한은
지가 보듬고 살아볼랑만요 서방 박대 받
응께 사람이 어둥이 되야가꼬 말도 입속
말로 허고 안씨라서 감쌀수배끼 없어라

그라소 자네도 딸 있응께 존일 하소 하늘
이 굽어볼 것 아닝가

오진꼴

우리 동네 늙은 학생이 오구만

자네 요새 야학 댕긴담서? 읍교회서 오는 질인가?

성님 공산떡 묵게 가서 동치미 한 폭 더 내오께라?

그라소 독아지 뚜껑 내래놀 때 조심하소 이 까딱허먼 태끼레징께 그나 공산떡 자네 용허시 일허고 뻗친디 아매 한 보름 댕겠재?

지가 글을 모릉께 징허게 까깝해라 이름자라도 쓰고자퍼서 댕기요야

해방 되고 우리가 다 조선글 모릉께 교회서 야학을 허고 그 후로는 없었는디 뜽금없이 허네이

지 살든 데는 외져가꼬 야학 그렁 것도 없었어라 인자 쉰 살이 가찬디 나 까막눈이요 허고 가기가 여럽다가 한 자썩 배웅께 오져라

잘 했네 내 속에 든 것은 누가 돌라가는 것 아닝께 배와노먼 좋재 그란디 글은 누가 갈칭가? 우리 배울 쩍에는 선생이 솔차니 여럿 되얏는디

34

성님 해방 후에 우리 갈쳐준 선생들 육요때 다 죽어부럿어라 그 후로는 갈칠 이가 없는디 야학이 되꺼시오

대학생이락 허대요 해남인가 강진 사람이란디 어야 자네들 이 말은 으디 가서 허먼 안 되야이? 학교서 먼 일 나서 피신해왓닥 하드만요 맴생이 키는 허주사네 허청에다 방 디래서 산갑습디다 새복이먼 허주사허고 맴생이젖 배달허고 긍갑드만요
긍께 허주사네 일꾼으로 있능갑구만. 참말로 대학생이여? 겁나게 잘 갈치것네이

아이고 내가 오늘 오진 꼴 봤당께 꼬꼬닭 헐 때 그 닭자를 알아부렀네야 그 글자가 여간 복잡해가꼬 우리가 자꼬 잊어붕께 선상님이 오늘은 딱 한 번에 알아듣게 갈쳐줘불대 그라고 실력이 있드랑께
공산떡아 근다고 닥을 못 써? 다에다 기역받침인디
긍게 자네는 후루꾸로 배운 거시여 새로 갈쳐줄 거싱게 잘 들어봐이 자네 덕석에 널어논 곡석을 닥이 와서 좃어묵으먼 머

35

시라고 헝가? 자네들도 답해보소

훠이훠이 허재
오메 못 살것네에 저노무 삥아리 새끼들
작신 볼바부러야겄네 그라재
엣끼 이노무 달구새끼 쩌리 가라 그라재

그거시여 달구새끼! 달구가 줄어서 닭이
되등만 여다 쓰꺼싱게 봐봐 달이란 글짜
리을 받침 옆에다 구에 기역을 써주먼 그
것이 닭이라는 거시여 알것능가?
워메워메 시상에 그것이 옳은 글짜랑가?
나는 이때까장 닥인지 알고 산디 그것 신
기허네이
아따 공산떡 니가 선생 해도 되것다 근디
닭자를 어따 써묵을랑가? 영수야 가내 벨
일 없고 갱아지도 닭도 잘 있다고 아들헌
테 핀지 쓸랑가?

긍께 내가 요라고 애런 글자를 배왔는디
어따가 써묵으끄나 궁리 험서 개물똥 넘
는디 되얐다! 쓸 데가 있다 했네야 날 볼그
먼 우리 닥장 우게다가 판자때기 한나 붙

이고 닭 허고 쓸랑만

아하하하 긍께 닥헌테 문패를 붙여준다고야

워메워메 공산떡네 달구새끼덜은 출세해
부럿네

사람덜아 시상천지에 우리 동네는 문패
달고 사는 닭도 다 생겠네

누가 더 박복한고

성님, 쩌번창께 우리 집 모낸 날 생각나
요? 성님이 새비 넣고 지진 갈치 맛나다고
허신 날 말이요 그날 샛것이 마땅찬해서
그바게 저재로 갈치 사러 갔는디 역리 들
어가는 삼거리서 개실리 아짐 뵈앗소
건강허시든가?
예 건강허십디다 아따 예순이 넘은 연센
디 보는 사램 가심이 서늘허게 곱드만 낯
빛 눈빛이 뻣신 데가 없어라우 손 붙잡고
안부 물으시는 조근조근 음성이 어째 그
라고 펜안허까 샛것 내갈 일 그방께 불나
게 돌아서 온디 무단히 서글픈 생각이 들
드랑께요 저리 이쁜 각시가 스물에 혼자
되야가꼬 으찌케 손 안 타고 지 감장 허고
살았으꼬

빽다구 있는 반가의 딸이고 시집이 원청 짱
짱하니 딱 찌고 상께 누가 건들지 못 허재
나도 저참에 뵈얐는디 주름 잔 생겼어도
고우시등만 각시 때는 가물가물하니 순한
눈에 귓밥에서 턱으로 내래가는 얼굴 태
가 눈이 부셌재 어느 기생이 와서 맹함 내
밀었다가는 빰 맞고 갈 자태라고 했다네

38

이목구비가 빤듯해도 싱겁게 생긴 사람이
흔히 있는디 그 아짐은 귄이 딱 쪘등가안
예펜네 눈에도 홀릴 사람 두고 그리 바쁘
게 가신 냥반은 억울했을 것이네

아짐이 박복한 거시까 죽은 서방님이 박
복한 거시까 성님 생각은 어짜요?

자네는 어짱가 나는 일찍 죽은 사램이 더
박복허다고 보네 죽어불먼 앙끗도 아니여
더우니 더운 줄을 앙가 추니 춘 줄을 앙가
일이 되고 속이 상코 그래도 나는 사는 것
이 좋네

형님 아들은 냅둬야 좋을 애기요

애기씨 우리 아들은 어째 저라고 일이 안 되능가 모르것어라

성님은 어째 앞짜른 말을 하요 아직 젊응께 잘 되는 날이 있재

아니 참 이상헌 일이여 안 될 수가 없는디 교묘하게 어긋난당께 취직을 해도 안 되고 점방을 내도 엎어묵고 인자는 깔고 앉은 집허고 우리 끄니 이을 논밭떼기 냉기고는 다 날라갔소 누가 내 속을 알것소 애기씨한테나 언정하러 왔소

그라시재라 저참에 충장로 점방이 목 좋고 두 내우가 활발허게 일허길래 꼭 성공허것다 했는디

내가 복이 없는가 내가 죽어사 아들이 필랑가

밸 말씀을 다 하요 손지는 소식이 있능가요?

아니 영 못 찾소 저참에 현자가 광주 간짐에 메느리 친정집 들렸는디 이사 간 뒤로 윗집서도 종적을 모른다요

둘이 좋게 살드만 그라고 매정하니 끊고 가불 줄은 몰랐어라. 질부가 굴겅굴겅 속도 좋아 보이든디

40

새끼 두고 갔응께 돌아올 테재 허고 은근
히 지달렸어라 그러고 일 년 있다 왔습디
다 즈그집으로 애기 데꼬 가서 사흘만 보
고 데레다 준단 거시여 그러니저러니 허
다가 먼일 있을라드냐허고 보냈재 지 속
으로는 애기 돌라갈라고 왔능거시재 인자
열 살 묵었것소 애기씨 손지딸보다 두 살
덜 묵었응께 이만 할 테재

성님 큰조카 뱃을 때 태몽 꿨셨소?
이, 밸라도 널룬 뻘밭에 쪼깐한 머시매가
섰등만 오메 물 들오면 어짜끄나 아가 나
오니라 언능 나와야아 허고 불렀드니 나올
라다 엎어지고 부르먼 또 나올라다 엎어지
고 그라다가 어짜다가 내 옆으로 왔습디다
영락없이 아들을 낳것다고 짐작했재
성님은 조카한테 머슬 자꼬 시기지 마쑈
뻘밭에서 노는 사람 불러싸먼 마음만 그
바재 솔하게 못 나와라 이것도 해봐라 저
것도 해봐라 그라지 말고 펜허게 놔두먼
어쩌께라
애기씨 생각에는 그라요?

오빠 생각 안 나요 책이나 읽고 곱게 채래 입고 산보나 다님서 안 살았소

금메 말이요 말없이 책이나 보든 냥반 웃어도 소리나 내가니 그리고 얌잔한 냥반이 사상 가진지 암도 몰랐재

갱찰 들이닥치는 소리에 담을 훌떡 넘어서 비호같이 도망치던 모습 허고 따다다 들리든 총소리가 나는 절대 안 이저부러져라 그거시 오빠 임종이나 한가지였응께

못 이저불재라 사방천지 질을 막어놔 도망쳐봤자 갈 데도 없는디 죽을 심으로 담을 넘습디 심한 고상 않고 그 총에 간 것이 차라리 낫다 험서도 속이 씨리요

울 엄니는 그 꼴도 봤는디 조카 일 잔 답답헌 거슨 앙꿋도 아니다허고 맘 펜히 묵읍시다 성님

2

식칼
　　한
　　　나

　　보재기
　　　　한
　　　　　나

　　　　　쥐고

2부 식칼 한나 보재기 한나 쥐고

세상이 딱 끝나 버리면 좋겠네
엄니, 탕 소리 나면 뒤 좀 돌아봐주소
지하실이 필요해
울 애기 누가 데리고 있을까
베수건 한 장
정월 까마귀
무명실 타래 같은 내 청춘
산 사람은 살아야지
저것이 무슨 선생이야

세상이 딱 끝나 버리면 좋겠네

아따 뭔 바람이 이라고 부까이 월출산 날라가불것네

어야 칼날 뚝뚝허면 솥단지 가새다 쓱슥 문질러오소 실고치가 안 곱네 이것 썰어 놔사 차렛상 올릴 죽상애야 숭애야 꾸밀 것 아닌가

아따 조상님들 호사시럽게 드시라고 우리 손이 요라고 아프요이

그라재 우리가 고상을 해사 조상님 드시는 음석이 이뻐재

근디 회진떡 낯빛이 저 바람허고 똑같네 속 시끄런 일 있었능가?

없으면 왔것소 속이 시끌사끌항께 방문 박차고 나왔소

나도 그라네 꼭 오늘 같은 날이었니

우리 시째가 공회당 창고에 갇혔을 때여 경찰허든 남문 밖 길성이 성한테 연통을 너가꼬 한번 보고 왔재 공회당 안이 잽해 온 사람으로 땀뿍 찼드만 그 겁도 만한 자석이 내 손을 잡고 엄니 엄니 나 좀 살려주소 교동리 동구 성은 어저께 죽었소 나는 낼 끄꼬 간다요 엄니 나 좀 살려주소 그란

단마시 머슬 어째야 쓸지 뉘를 붙잡고 내 아들 살려주소 소리를 할 거싱가 외약눈만 끔쩍 해도 너 이놈 좌익 아니냐 허든 시절이여 인민위원회 급사 노릇 쫌 했다고 열니 살 묵은 머시매를 죽이기야 헐라디야 험서도 시째 손 놓고 성안에서 걸어온디 오메 염병허게 바람도 불등 거……

엄니, 탕소리 나면 뒤좀 돌아봐주소

성님 말씀 끝에 내 언정 잔 할라요

하소 우리가 항꾼에 저끈 날이 장강인디 못 헐 말이 있능가

성님 우리 큰딸이 참말로 억울케 죽었어라

이, 억울코말고 억울하다 뻗치재

내가 성님한테 못 헐 말 없이 털어놓고 살았는디 너머 여러와서 이 말만은 오늘날까장 입 밖에 못 낸 말이요

그랬능가 글고봉께 오늘이 복자 간 날 아닌가?

웃묵에 밥 한 그럭 물 한 그럭 떠서 숟꾸락 꼽아놓고 나왔소야 혼자 못 있겠습디다 우리 복자 혼이 굽이굽이 저승질 돌아 어매 찾어와도 내가 낯 들고 그 가스낭년을 볼 수가 없어라 성님

이 사람아 그 무선 시상에 총대 가로막고 내 자석 살려주시오 소리 못 했네 자네만 그런 것 아니여 맘으로야 보듬고 저승질 가고 싶재마는 남은 자석들 어쩔 것잉가

나는 그것도 아니어라 성님 우리 복자가 사상이 머신지도 모르는 년인디 즈그 시

48

숙이 산에 갔다고 그 염병할 놈들이 끄꼬
갑디다 즈그 시아부지허고 서방은 그 먼
저 시월에 학살 당했소안 근디 멋났다고
그 죄 없는 것까지 잡으러 왔능가 몰라라
사람 못 잡어묵어서 환장헌 것들이재

그적에는 사람이 짐생이나 한가지였응께
동네서 한테 커난 동무헌테 손꾸락총 놔
서 끄서가는 일을 생각이나 해봤능가

낭중에 유제 사람들이 급디다 복자 학살
당헌 전날 갱찰들이 토벌 갔다가 나수 죽
었다여 긍게 눈이 벌개가꼬 티 있는 집 사
람들을 끄서 냈다요

그랬것재

우리 복자가 개물뚱 밭에 퇴깽이 새끼만
치로 웅크리고 서있고 나는 오메 어째야
쓰꼬 발만 동동 굴렀재 갱찰들이 쩌리 내
래가라고 총대를 내둘러서 막 돌아선디
가이내가 내 등거리에 대고 당부허드란
말이요

머시라등가

엄니 엄니 총소리 탕 나먼 나 한번만 돌아
봐주소 그랍디다 글고는 열 걸음을 안 내
래와서 총소리가 나는디 오메 무섭고 아

무 생각도 안 나고 시상에 그라고 무서우
까 사지를 벌벌 떰서 복자야 복자야 이름
만 욈서 내레왔어라 뒤를 못 돌아봤단 말
이오 그것이 마지막으로 즈그 어매라고
나 거튼 년을 어매라고 당부헌 말인디 못
돌아봤어라

이 사람아 그라지 말어 일상 묵던 맘으로
살 수가 없던 시절이여 오메 회진떡 자네
차말로 애가 녹았겄네
그랑께 성님 내가 죽어도 낯 들고 그 애기
를 못 만낼 거시오 엄니 총소리 탕 나먼 나
한 번만 돌아봐주소 소리가 인자는 총소
리보다 더 무서와라 성님 그라고도 내가
이 목구녀게 밥 밀어 넣고 사요

지하실이 필요해

아야 집 지슬 때는 꼭 내 말 맹심해라이
그때가 경찰 진주 후였재 노암 동문씨가
산사람들한테 학살당했니라 그 냥반이 맹
절에 뒤야지 잡어 동네 돌리는 기마이도
있고 그랬재만 객인들헌테는 잔 모질게
했어야

월출산 욱으로 보름달 휘영청허니 뜬 여
름이라 고운 발 치고 자다가 산사람들 들
이닥칭께 마나님은 뒷문으로 펄쩍 뛰어내
려 도망을 쳤는디 영감님은 몸이 비대해
놓께 담박질을 못 해서 재패 부렀재

지둥에 뭉꺼놓고 죄를 물음서 부연 살을
칼로 뿌서서 죽이는디 아조 눈 뜨고는 못
보게 고통시럽게 죽이드라여 이놈들아 죽
일라면 그냥 죽여라허고 영감님은 소리소
리 지르고 어? 뿌는 것이 머시냐고? 무시
국 끼릴 때 한손에 무시 들고 칼로 슥슥 쳐
서 넣는 것 모르냐? 그렇게 살을 비어내는
거시여

조샌이라고 그날 야경 돌던 동네 머심이

52

숨어서 봤다고 전해주드랑께 달이 대낮같
이 볼긍게 다 봐부렀재

그 집이가 소앙치만헌 개 한 마리가 있었
어야 아침 식전에 동네사람들이 가봉게
마당이 피로 벙벙한디 그 개도 으찌케 무
섭증이 났능가 죽은 쥔네 곁에서 짖는 소
리 한 번 안 내고 우두거니 앉어 있드란다
사람 일 모릉께 느그도 성주헐 때는 꼭 남
모르는 지하실이등가 비밀리에 도망갈 문
을 만들어야써이

울
애
기
누
가
데
리
고
있
을
까

인공 펜 든 사람들 도망칠 때 우리 뒷집 떼
보네도 식구대로 산으로 갔어야 음력으로
정월잉께 말도 모다게 추웠것냐 안

그날 밤에 빈집서 애기 우는 소리가 징했
니라 그때는 해 지먼 문 밖 걸음을 못 항께
으짤 방법도 없재 징상시럽게 애기는 울
고 식구대로 잠을 못 자는디 새복 되서사
잠잠해지등만

아침 일찌거니 우리 아바님이 시푸라니
얼어서 숨만 붙은 애기를 보듬아다 따순
아랫묵에 뉘페농께 금방 얼룩덜룩하니 살
이 부커 올르드니 깩 소리도 못 내고 그냥
죽어불드라야

백일도 안 된 애기 거름배미에 띵게놓고
간 거시여 어매가 들쳐 업은 것을 사나그
들이 뺏어 내부렀을 테재

그란디 진달래 피기 전에 언제언제 밤중
에 떼보네 각시가 가만히 왔드락해야 고
짱네로 와서 혹간 누가 즈그 애기 데꼬 있
능가 묻드라여

54

베수건한장

점심상 받어서 둬 숟구락이나 뜬 참이까
저 사람들이 흙발로 방에 올라 밥 묵든 두
성제간 뭉꺼서 *끄꼬간디* 꼭 비암 앞에 쥐
맨치로 둘 다 풀기가 딱 없어져불대
따라나오먼 죽인닥 해서 대문 밖 가는 것
도 못 보고 인적이 없다 싶을 때사 쫓아나
갔재 으디 가서 찾것능가 무작정 동각으
로 강께 땅꼬네 두째 성복이가 스치대끼
얼렁 지나감서 안새뚱 밭으로 가보쑈 그
러대

반동분자 시신에 손대는 것도 죄라고 누
가 그랬능갑서 마누래들도 딸년들도 무서
와서 즈가부지 죽은 자리로 오도 않고 쩌
만치 밭둑서 발을 구르고 울고 난리재마
는 나는 내 동상들잉께 내가 누님잉께 수
습을 해야재 내 귀헌 동상들을 개 죽은 것
맨치로 버래두것능가

배에 죽창을 쑤세너서 휘휘 젓어부렀능갑
대 창시가 끊어져도 쉽게 안 죽었능가 삥
둘러서 손닿는 자리는 다 빠르작거리고
풀을 잡어뜯어 놨대 쉽게 안 죽었능갑써
괴로웅께 온 밭을 헤매가꼬 둘 다 열 손구

락에 성헌 손톱이 한나도 없드란마시

먼 잘못 했으까 내 동상들이 일본 가 공부
허고 와서 학교 선생 한 것 말고 못헐 짓
헌 것 없는디 머땀시 죽엣능가 시방도 나
는 모르겄네 죄가 있었음사 으디로 몸을
숭겄재 그라고 있었으끈?
창시는 끄께 나오고 낯바닥이고 몸땡이고
피에 흙에 풀에 엉개붙어가꼬 시상에 그
란 일도 있으까 큰 동상 보듬고 불러보고
작은 동상 보듬고 불러보고 죽은 중 암서
도 혹시 숨이나 붙어 있으까 허고

베수건 한나 들고는, 그리 험허게 죽은 중
은 몰랐응게 한나만 들고 갔재 내 손으로
창시를 뱃속에 너주고 밭 아래 꼬랑에서
물 적세 짜다가 딲어주고 또 내래가서 짜
다가 딲어주고 둘 다 장대같이 큰 사람이
라 몸 한 번 움지거리기가 말도 못 허게 무
겁재 그래도 날이 저물도록 그라고 있었
당께 이 일을 어째야쓰꼬 내 동상들 인자
으디 가서 볼꼬 울 엄니가 이 꼴을 보시면
안된디 어짜까 그 생각 말고는 아무 생각
도 안 나 무섭도 않고 슬프도 않드랑께

정월 까마귀

천황봉 구정봉 바우가 굽어본디 흰 눈 슬은 개천 넘어 밭둑에 올라선께

까마구 수백 마리 자옥히 날아올라 들도 하늘도 무너져불대

식칼 한나 보재기 한나 쥐고 시컴헌 차일 아래 까옥까옥 걸어 보리 비어 왔네

무명실 타래 같은 내 청춘

성님 거그 실 한 타래 이리 주실라요 시작헌 짐에 오늘 감고 가사재 낼까지 늘어지면 쓰것소 성님은 물팍에 남은 놈만 감고 동치미나 한 그럭 떠다 주면 쓰것소야 워메워메 진솔 미영실 겉은 이내청춘 어디로 가부렀으꼬 물팍에 실타래 걸고 실 감을 때마동 우리 영감 생각나요

안개가 앞도 안 보이게 낀 날인디 밥 묵고 나무허러 간다고 허리에 새 사내키 감고 짚신을 삼습디다 아척 밥솥에 불 때서 자자질 때나 되얐으까 왔다갔다 함서 봉께 한 짝 다 삼어서 옆구리로 돌려놓고 다른 짝을 막 삼을락 한디 웃동네 기수가 총 멘 사나그 데꼬 사립 앞에서 어야 이리 잔 나와보소 그랑께 신 삼던 채로 인나서 가등만

짐치 썰어 상 봐놓고 어째 안 오까 허고 서성거린디 학교 앞에서 총소리가 빵 나드란 말이요 아닐테재 아닐테재 함서도 소름이 짝 끼치등만이

조깐 있응께 그놈들이 우리 집 담 밑으로

지나감서 오메 저놈 죽애붕게 작년 팔월
에 묵은 송펜이 쑥 내래간 것 같다야 그람
서 킬킬 웃어

발이 땅에 닫는가 어쨩가 모르고 담박질
해서 가봤등만 학교 다리 옆 서숙밭에 세
와놓고 총을 놨습디다 삼던 짚신 디룽디
룽 달고 나가든 모습이 안 잊히요 안 잊히
요 이 밤이 얼매나 지나야 그 징한 세상 잊
고 살 수가 있으까 성님

우리 삼심이 즈가부지가 기수한테 잘못헌
것이라고는 한 가지배끼 없소
인공 전 일이요 우리 소로 논 갈아도라 해
서 딴 집이 약조가 되야 있응께 당일은 애
럽고 사흘 후에 하입시다 했등만 아조 못
들을 욕을 퍼붓고 간 적이 있소 근다고 시
상에 사람을 죽이까

우리 아들이 저 사람들 짐 한 번 져다준 것
가꼬 빨갱이 애비라 죽엤닥 한디 그것이
아니어라 살던 동네 뜨도 못 허고 한동네
서 낯바닥 보고 살기도 징하요야

그때 산에 간 사람들이 거지반 죽었다든
디 떼보 각시는 살아 있다는 말 있대 자네
도 들었능가?

살았재 성님도 들으셨구만 떼보네 식구들
토벌 때 다 죽고 떼보 각시만 포로가 되야
가꼬 자응 갱찰서에 잽혀 있다가 뭔 사연
인가 토벌 갱찰허고 살게 되았다대요

그래이 사람 일을 알 수 없어이 즈그 서방
자석 죽인 웬순디 그 사나그랑 살 수도 있
으까

아이고 성님 좋아서만 산다요

양님네 아짐이 아들 혼수 헐라고 광주 갔
다가 장바닥서 잘팍 부닥쳤다능거여 입성
은 깨꼼허니 갠찬한디 아짐을 보고 낯바닥
이 노라니 뺀함서 주저앉을락 하드랑만 양
님네 아짐은 인공 때 저짝 사람들 손에 서
방님허고 시동상까지 다 학살 당했능가안
그때 떼보 각시가 여맹위원장 맡어가꼬 동
네서 인공 노래 갈치고 그랄 땡께

오메 이 사람아 어째 이랑가 못 살 시상 살

어 남었으니 되얐네 그라지 마소 함시로
달갱게 이라고저라고 저 사는 언정을 하
드라여 살도 못 허고 죽도 못 허고 산다고
눈물바람 하드랑만

나도 으디 인편에 쪼까 들었소야 딸 둘에
아들 한나 낳고 산다는디 잘 살 것이요 손
도 야물고 부뚜막 반들반들허게 살림허고
누에 칠 때 뽕잎도 질로 많이 따고 안 그랍
디여

아먼 잘 살아사재 죽어불면 어짜도저짜도
못한디 그 고비 냉겠응께 존 시상도 봐사재

저것이 무슨 선생이야

동각에 머심 살던 번출이 두째딸 송자라
고 생각나요 성님? 그것이 광주서 아조 대
부자가 되았당만 서방이 갱찰 높은 직에
있다가 인자 큰 금방을 한답디다 저번참
께 우리 큰아들 왔을 때 들은 말이요

잉, 송자 알재 그 집이 말도 못 허게 골란
허게 살았니 골란이 머시여 입고 벗을 옷
이 없어가꼬 옷 빨먼 이불 둘러쓰고 앙것
다가 짠뜩 그바게 나갈 일 생기면 즈거매
옷 베깨입고 나갈 정도로 살았단마시 그
애기가 인물은 똑 떨어지게 이뺐는디 자
네 큰아들허고 조아지냈었등가?

아니 그 애기가 우리 큰아들허고 조아지
낸 거시 아니고라 인공 직후에 우리 아들
이 산에서 내래와 자수허고 갱찰서 잽해
있을 때 안 있었소 아따 알았소 딴 디서는
조심허요 성님 앞잉께 이 말 허재 으디 가
서 한다요 이 밤중에 누가 들을랍디여

첨에는 무지하게 뚜드러 마졌다우 산에서
죽으나 여그서 죽으나 차이가 없것구나
그런 맘이 드는디 하루는 조사허던 순사

들 중에 질로 높은 사람이 뜬금없이 선생님 오늘은 저허고 점심밥 좀 같이 드셔야 것습니다 허드라여 이 새끼 저 새끼 허던 사람이 선생님이라고 함께 놀랬재 이거시 뭔 소리까 했다요

음마 참말로 기묘헌 일이네이

몸은 되고 아프고 죽것재만 지 처지에 안 간다고 허것소 어짜것소 얼로 데꼬 나가서 총살을 해불라고 그란다냐 어짠다냐 밸 생각이 다 들드라여 예예허고 꾸벅꾸벅 따라간디 뭔 살림집 대문을 열고 들어강께 각시가 한나 나와서 아이고 선생님 오셨능가요 함서 곱게 인사를 하드라요

낮이 익은디 누구까허고 봉께 송자드란 거시여 시상에 점심을 걸게 채래 얻어묵는디 그 순사 말이 내 집사람이 선생님 은혜를 크게 입은 적 있으니 돌봐드리라고 신신당부 하등만요 앞으로는 심헌 일 없을 텡게 너머 염려마십쇼 그러드라는 것이요

아따 그것 보소이

해방 후에 우리 큰아들이 학교 선생 안했소 그때 송자가 학교 급사였어라 선생이 모지란 때라 송자도 1학년 단임을 맡었다요

번출이 딸들이 이뻐고 공부도 잘 했응께 1학년 정도는 갈칠만 했을 테제

하로는 졸업사진 찍을라고 운동장에 학생들 선생들이 주룰하니 섰는디 송자도 거그 나와 섰능갑써요 선생 맷이 돌아봄서 저거시 뭔 선생이여 급사재 그라드라요 그 소리에 송자 낮이 붉은 물 찌끄른 것맹키 벌개져서 빠져나가는 것을 우리 큰아들이 호통을 쳤다여 학생들 갈치먼 선생이재 머시 선생이다요 글고 손 끄서다가 같이 사진 찍게 했당만 송자 그 애기가 그 일이 가슴에 맺혔능가 그리 은혜를 갑드라고 헙디다

3

다

팔
자

때암이재라

3부 다 팔자 때암이재라

샘가에서 웃던 춘아
나쁜 남자
철선에서 내릴 때 손목 잡고
붙들 틈도 없이
새야 새야 파랑새야
거지 처녀가 측실이 되었다네
흰 가마 타고 시집 온 배녕 아씨

동네 부자반 놈들은 다 건들었을 것인디
누구 새낀 줄 알것능가 즈그 오빠가 뚜들
어팸서 물어봤다는디 헛짓이재 눈만 마주
치먼 아무나 보고 히히거리는 가이나가
옳은 대답 못 허재 오메 어느 썩을 놈인지
동네서 아조 멍석몰이를 해야 쓴디

낳는 즉시로 없애부러서 지가 새끼를 낳
는지 어짠지도 모르는 것 같다고 헙디다
아까 저녁참에 풋것 씨치러 시암에 강께
거그 있드만 춘아야 배 이만허게 나왔다
가 들어강께 팬허고 좋냐 했드니 웃어쌉
디다 오메 불쌍허등거

쩌번창께도 영애원 다리 우게 넋놓고 앉었
다가 나허고 마주칭께 낯이 짜부라지게 웃
드라야 오메 저 가이나를 어짜끄나 속이
씨래 죽겄드만 즈거매 속은 오직허겄냐

사산이 그나마 천행이네 누가 그 새끼 보
듬아 키울 것잉가 성가시재 참말로 성가
시재
성님이 보셨소 사산인지 엎어부렀는지 누

가 안다요 춘아가 즈가부지 죄닦음허는 것 아니요? 즈가부지가 인공 때 사람들 징상시랍게 죽엤어라 무단히 좌익으로 몰아 무지하게 놈못할 일 햇재

이 사람아 배락맞을 소리 마소 아무리 근다고 새끼가 죄닦음헌당가

아야 성용아 너는 잔 으째 그라고 입이 방정이냐 글지 잔 마야

음마 나만 허는 말 아니여 동네서 다 수군수군해야 배가 그라고 야무지게 불렀는디 먼 죽은 애기를 난다냐고 그래

어야 성용어매 그래도 그라지 마소 한동네서 한 시암 묵고 삼서 안 존 일로 자꼬 입초사에 올리면 사램이 다 눈치가 있는디 유제서 속 내래놓고 살것능가

글재라 성님 성용어매 저것이 속은 순진허고 존디 말이 너머 빨라분단 말이요 오메 으디 데꼬 가면 내가 아조 성가세 죽것어라 물가세 애기 세와둔 것 한 가지란 말이요

니는 참말로 염병이다이 니가 나를 으디 데꼬 가야 내 발로 가재 내가 성전서 시집 와가꼬 수십 년을 너허고 유제서 벗허고 산디 니가 내 티 뜯으면 니는 존데로 못 가야 내 눈빼기내기 해바라 너는 직행으로 지옥행이여

오사네 나는 거그까지도 니허고 같이 갈께미 아심찬하당께 저번 달에 우리 시아바니가 지사 드시러 오세서 글드라 니허고 나허고 나란히 갈 터가 지옥에 있다여

오메 징한 거 이 사람들이 한 살 더 묵응께 더 애기 되야부네 어야 학산떡 저녁밥 해묵고 삭은 불에 감재 묻어논 것 익었것네 내다 묵고 심 내서 밤새 싸와보소이

나쁜 남자

그 아짐이 작은 사람이여 그라재 큰 각시가 있재 그 아짐이 어디어디 동네서 스무살 남짓 된 청상이었드란다 재산이 잔 있어서 그작저작 살고 있는디 자석도 없이 나어릴 때라 서방 그리운 중도 몰랐다여 근디 봉숙이 즈가부지가 그 동네 가서 내가 아무개를 얻었느니라 소문을 낸 모냥이드만

동네방네 소문이 파다헝께 어르신들이 불러 앉혀놓고 너같이 부정한 여자는 여그둘 수가 없다 하드란다 서방질 얼을 보신목이라 뒤집어 보이것냐 어짜것냐 벨수없이 가진 돈이야 문서야 보따리에 딱 뭉꺼들고 새복질 나선디 동각 앞서 누가 지달리고 있었는지 아냐

봉숙이 큰어매 그랑께 봉숙이 즈가부지큰 각시가 지달리고 섰다가 즈그 집으로데꼬 가서 새 보신 신기고 단장해놓고는즈그 서방을 방으로 디래보내드란다

왜 그랬냐고? 서방이 데꼬 오라고 시겠재오메 그 말 안 들을 수가 있다냐 안 들으면죽애불 것인디 봉숙이 즈가부지가 말도

못 허게 무선 사람이여

요만치만 성질에 안 맞으면 에펜네를 아
조 똥 빨빨 싸게 뚜드러패서 마당에 엎어
논디야 그 입에서 말 떨어지면 꼬무작딸
삭 못 허재 동네서도 누가 저리 치아스라
고를 못 해 낫 치케 들고 목 딴다고 나대분
께

그 아짐이 말이 작은 각시재 불쌍헌 사람
이여 큰 각시 자석들 공부도 봉숙이 즈거
매가 싸온 재산으로 갈쳤재 그 집은 본래
똥구녁 뻴건 집잉께 독새거튼 놈헌테 채
여서 어느 한날 미간에 구름 걷힌 적이 없
는 사람이재 봉숙이 어매가

오메 대삽 다 넘어강갑소 바람소리가 무섭소야 성님은 폿이야 콩이야 많이도 했소이 세낀 것도 밸로 없고 좋그만

조토 안 해 풍구로 불고 채로 까불어도 뉘도 있고 독도 있고 그라네 올 갈에 잔치 있을까미 나소 낳재 길자 즈가부지가 올 설 안에는 여워야겠다고 항께

근디 성님 오늘 낮에 쩌 건너 광맹이가 미친 짓거리 했단 말 들었소?

먼 소리당가? 술 묵고 또 으디 자빠졌드랑가?

술 묵고 자빠지능거슨 원님 행차재 가실 들어 읍으로 흘러든 동낭치 미친년 보셨지라 그 가스낭년하고 교동리 큰길가새서 붙어묵고 있드라요 한종이 아배가 떨어지라고 막가지로 뚜드러도 소양이 없드라여 동네 꼬마댕이들 둘러서서 구갱하고 미친 것드락 합디다 개도 아니고 사람도 아니고 으째사 쓰까

시상에 자네는 대삽 바람소리가 무선가 나는 이 동네 삼서 질로 무섭게 들은 소리가

갱순이 엄니가 광맹이 저주하든 소리네

갱순이 광맹이 연애허는 것은 동네가 다 아는 일이었니 광맹이 어매가 즈그 아들 순천 가서 공업학교 댕긴 유세를 함서 갱순이 집안 하찮다고 망호리 큰애기를 메느리 안 삼엇능가 그래가꼬 갱순이가 미친기가 났재

마저라 갱순이 뱅이 심해지기 전에 지헌테도 급다 니가 봐도 우리 광맹이가 징하게 잘 생갰지야이 내가 용댕이서 철선 내릴 때 광맹이가 손 잡아줬어야 오메 여럽등거 그람서 배시시 웃은디 짠해 죽것습디다 어매 속이사 어짜것소

낭중에는 시도 때도 없이 광맹이 신혼방으로 파고 들다가 뚜드러마진께 즈거매가 방에다 가두고 바깥 문고리에 숟구락을 딱 질러부렀어라

그랫닥 하대 한번은 우리 숙자가 보고 왔는디 방문 창호지를 뜩뜩 긁어서 다 찢어 낤드라등만 월경을 했능가 여그 저그 방문에 발라놓고 어매어매 나 광맹이한테

갈라네 그르드라네 그 꼴을 보는 갱순이
즈거매 속이 천불이 나재

하로는 으찌케 문을 열고 갱순이가 또 광
맹이 집까장 왔어야 갱순어매가 쫓아와서
끄꼬감서 광맹이네 대무나케서 저주 한디
와따 무섭대 저 소리 듣고 으찌케 밥이 넘
어가까 싶드만

머시랍디여

그래 느그가 뻔적헌 메느리 봤냐아 놈의
가심에 대창 쬐시고 잘 살 줄 아냐아 갱순
아 이년아 나는 죽어 구렝이 되야서 광맹
이 저놈 윗도리 칭칭 감을 텡께 너는 죽어
실비암 되야서 저놈 아랫도리 창창 감어
라아 그라고 소리소리 질러쌓대

오메 소름이야 어쨔쓰꼬

아따 거보쑈이 갱순이 죽은 뒤에 잘 다니
든 군청 내떤지고 밤낮 술 처묵고 마느래
뚜드러팬께 동네가 시끄러왔어라 인자 막
젖 띤 것까지 서이나 되는 새끼들 버리고
밤봇짐 쌀 정도먼 징한 시상 살았재 광맹
이 각시도

어야 요것 조깐 받소 오메 황산떡도 있네

머슬 양판째 들고 왔능가 양판이 뜨건뜨건 허네

요리 다그서 앉소 묵 무치고 배추끌텅 쪄 왔네 폭삭허니 맛나구만

황산떡 애썼응께 여그 큰 놈 한나 묵소 북망에 묻힌 사람은 어지께 불어간 바람이여 등 지대고 살든 생각 잊어불소 새끼들 있응께

예 성님 징하게 여러와서 낮에는 고샅도 못 나오것습디다

자네가 먼 잘못을 해서 여런가 시상 버래분 양반이 잘못이재

성님 오늘은 먼첨 인나서 가볼라요 바람이나 쐴라고 나와 봤어라

그라소 낼도 오소이

황산떡아 나 묵을수록 서방님보다 동무가 좋단다 인자 우리허고 지대고 사세이

질 어둥께 저 사람 대문 나갈 때까정 문 열어노소 시언허니 바람도 잔 통허고

내우간에 쌈 안 허고 사는 집 없재마는 공
주 아배가 황산떡 가심에 못질 했어라
성용이네는 저 집 속 아는 일 있능가?

암만해도 한 울타리 쓰고 상께 알재라 그
날도 공주 아배가 볶았능가 풀기가 한나
도 없이 나 파 따듬는 저테 주저앉음서 시
방 디져도 외약눈 한나 깜짝 안 해! 그랍디
다 공주 아배가 다리 잃은 뒤로 그라재 본
래 구진 사람 아닝께 참으라고 타일렀어
라 나가 그거슬 안께 봇짐 안 싸고 살재 하
루에도 맻 차례씩 몽니를 부린단 말이요
징해 죽것어라 그라고저라고 언정함서 파
를 따듬는디 학교 댕개왔다고 인사허고
들어간 삼종이가 배락같이 엄니! 아부지
목 맸소 허고 악을 쓰드랑께

새
야
새
야
파
랑
새
야

어야 덕진떡 자네 친정엄니는 고향이 으디시당가?

예 금정이어라 어째 그라쑈?

보 성님도 이상허셨지라? 나허고 같은 생각 하셨고만이 덕진떡 엄니 말씨가 쪼깐 귀에 설드랑께요 갈에 우리집 콩 뚜듬서 이약이약헌디 항, 항 허고 답을 허시등만 매한 말이다 허고 봉께 아먼 그라재 헐 대목이서 항, 항 그라시드랑께

그라꺼시오 우리 외할매가 잔 먼디서 시집 오셨당만요 쩌그 남원 옆에 관산허고 오수 근방이란디 지도 자세히는 모르것어라 그랑께 엄니가 외할매 말씨 쪼깐 비슷하세라

워따메 자네 함마니가 실을 질게 끊으셨네이 으찌케 그라고 먼디서 인연이 되야 으까?

우리 외할매가 시천주교 믿었어라

이? 시천주? 긍께 시천주 믿는 집안끼리 혼연한 것이여?

그것은 아니고라 우리 외할매 열 여섯살 큰애기 때 동학 난리랑 것이 났다등만요

82

사람이 겁나게 죽고 친정 아바니, 오라부니도 돌아가세부럿다요 외할매가 정혼헌 총각도 동학 사램이라 남녘으로 쫓게올 때 항꾼에 따라 왔다요

그래이 그래가꼬 금정서 주잔것구만

아니어라 장성 갈재로 해서 영암까장 왔는디 국사봉 너매 자응으로 가는 판이었능갑대요 총각이 거그서는 두고 가드락하대요 의지가지없는 타관에서 먼 일이 벌어질랑가 알 수 없고 내일이 어쩔랑가를 모릉께 더 가면 안 되것다 접주님 아시는 댁이 금정에 있응게 거다 의지허고 지달리람서 두고 갔다등만요

후제 찾어 왓드랑가

으디가요 자응서 싹 다 몰살했답디다 으찌케 살아날 수가 없이 들녘에 몰아넣고 죽애부럿다요

오메 으짜끄나 큰애기 혼차 남어부렀구만이

예 의탁헌 집서 담살이 허다가 우리 외하나씨허고 혼연을 시게줬다요 우리 외하나씨도 그집서 꼬마둥이 머심으로 컸응께 혼연해도 팽야 내우간에 그 집 담살이허

고 사셌재라

근디 자네 엄니가 일흔서이 잡샀단디 여간 깨깟하니 인물이 단정하시대 외할매가 그라셌능가?

우리 어매가 막둥이고 지가 또 막둥이라 지는 외할매를 못 뵜었어라 어매가 그라신디 앉고 일어서는 것도 단정허고 음석 솜씨가 얌잔했닥 허시대요

자네 살림 솜씨가 느저구 있고 귄찐 것이 외할매 내림이구만이 어야 간디 시천주 사람들은 월출산에 안 숨고 으째 자응까지 가쓰까이 자응은 들만 널룹재 으디 숨을 디가 있간디

죽기를 각오허고 쌈허는 사램들이 이길라고 갔재 숨을라고 갔을라등가

지는 모르제라 지 애랬을 때부텀 엄니가 시천주 갱문 외라고 하싱께 그라고만 햇제 앙꿋도 몰라라 그래사 존 시상 온다고 자꼬 갈쳐주시대요

시천주 시천주 그라고만 욍가?

아니 스물한 글자로 된 갱문이여라 시천주는 첫 대가리고라

한번 해보소 잔 들어보세 존 시상 온다는

소리먼 우리도 배와보제

으차까이 뜬금없이 윌랑께 여럽소야

갠찬해 이 사람아 허던대로 해보소

참말로 하요 아짐 시—천주조화정영세불
망만사지 지기금지원우이대강

얼씨고 잘 헌다 간디 나가 손꾸락으로 짚
어봉께 스물두잔디 으째 스물한자당가

하하 아짐 스물한자여라 지도 애릴 때 우
리 엄니헌테 그라고 물어봤었는디요 지기
금지원우이대강에서 우이는 본래 위라요
가락을 맞칠라고 우이라고 헌당만요

아따 그것 보소이 갱문도 육자배기허고
한가지네이 아먼 머시든지 가락이 척척
맞어서 어우러져사 신바람도 나고 존 시
상도 올테재

어야 영봉이네, 자네허고 선돌 밑에 쪼깐
네허고 으찌케 일가가 되능가?
이, 그런 일가가 있니
자네가 쪼깐네헌테 성님이라던디, 사춘이
여 육춘이여

아야 성용네 놈의 족보 더투지 말고 감재
나 잘 쪼개소 내일 밭에 넣는 것도 자네가
헐 것 아닝가
성님 감재 쪼개고 넣는 것이사 외약눈 감
고 열 마지기도 일 아닝께 성가시들 마쑈
알재 우리 성용네 심은 감재가 하야니 꽃
올리먼 이삐게 웃는 성용네 잇속 보는 것
맹킬 것이네
오메 성님 딴 말씀 마시란 말이요

일 났네 성용이 저것이 한 번 파기 시작허
먼 말 안 허고는 못 전딘디 예펜네가 아조
찐디기랑께 알라는 것 있으면 사람을 들들
볶아부러
워메 징하네이 어야 성용네 누가 자네헌테
머시락허등가?
누가 머시락 하나따나 쩌번창께 저재에 맛
한 그럭 사러갔다가 쪼깐네를 봤단 마시

나가 물었재 어지께 영봉이 증조함마니 지
산디 건네 왔었소? 그랬등만 안 가도 갠찮
한 지사라 안 갔소 글드랑께 사춘이먼 영
봉이 증조할매가 즈그 할매도 될 거인디
안 와도 된다는 거시 뭔 소리다냐 그랬재
쪼깐네 그것이 염병허등갑다 그냥 일 있어
못 갔소 글재마는 영산강을 천리만리 풀어
낼라고 그랬다냐

쪼깐네 욕 헐 것 없네 오먼 우리도 안 펜해
우리 아바님 생전에도 오지 말라 하셌네
아바님 지실 때도 참예 안 했는디 새삼시
럽게 오것능가
오지 마라 하세도 어른 지산디 인편에 정
종 한 도꾸리라도 보내사재 그라고 입 싹
씻든 못 해 윗집 지사도 찹쌀 반 되나마 들
고 가는 거시 인사닦음인디

아따 성님 가만 기세 보쑈 영봉네야 먼 소
린가 알아듣게 말을 해봐야 뭔 말을 물레
돌리대끼 뺑뺑 돌린다냐
이, 알었다 내가 사천에 미꾸리라도 니 갈
쿠손 못 빠져나갈 거이다
아먼 순순허게 실토 해사재 머시 있어도

있당께

우리 시함마니가 열댓 살이나 되야쓰까 어
디선지 몰르게 동냥아치로 동네에 흘러 들
왔는디 동냥은 해도 태도가 얌잔하니 염치
를 알드라여 밥 한 그럭 얻어묵으면 언넝
물동우 이고 나가 물 질러놓고 가든지 정
재 가서 경을 서굿든지 토방에 흩어진 신
짝이라도 가지라니 놓고 가드라여
이, 나도 우리 시함마니한테 자네 함마니
말 들었네 여간 애잔하니 생개가꼬 우리
동네가 마땅했등가 겨울이 와도 으디 안
가고 곤돌자리 움막에 살드라여 그 큰애기
를 자네 조부님이 측실로 얻으셨닥하대
측실이먼 첩이란 말이요? 그랑께 쪼깐네
아배가 본실 쭐거리고 자네 아바님 배다른
조카구만
이 그란다네 근디 우리 자석들도 잘 모릉
께 자네가 입단속 잔 해주소이

듣고 봉께 내가 헐 말이 마땅찮하네 쪼깐
네 하는 양이 아심찬해서 물어봤네마는 뭔
존 말이라고 나발 분당가 꺽정 마소
여그 성님이사 말씸을 애끼는 양반이라 만

풍을 생키고도 낯빛 하나 안 밴하재마는 우리가 유재서 산께 시그덕뻐그덕헐 일이 있재 내가 서운터라도 우리 자석들 생각코 자네가 말 잔 참어주소

이, 내 입에서는 먼 말 안 새꺼싱께 성가시지 마소 내가 자네 시아바님을 여간 우러러 뫼시는 것 모릉가 짱짱헌 어르신이 그리 짠헌 어매 두신 줄 몰랐네야

성용이네 궁금증 풀렸응께 내일 저녁에는 빈손으로 오먼 안 되야이?

아이고 성님 누룬밥이라도 긁어서 한 뭉탱이 들고 올라요

하하 웃자고 한 소리여 어야 영봉이네 그 적에는 동학 난리로 패가헌 집 자석들에 호열자로 부모 잃은 어린 것들까장 동냥치가 쌔부렀다여 반가 자석들도 하루아침에 동냥치 되야서 골골이 떠돌아 다녔다네 나라 망허고 시절이 구지먼 밸 일도 다 있니 그래도 자네 조부님이 측실로 거뒀으니 더 험헌 꼴 안 보고 사셌재 측실이라도 그리 자석들 잘 된 집이 동네서 맺집 된가

예 성님 저도 부끄럽게 생각 안 하요 다 팔자 때암이재라

흰 가마 타고 시집온 배녕 아씨

아까 참에 자네 친정 사립서 낯모를 노인이 나가대 누구여?

우리 함마니 동생분이여 그랑께 나한테 종조부 되신 양반인디 통 왕래가 없다가 죽기 전에 찾아본다고 오셨드랑께

자네 함마니 친정이 배녕이락 안 햇능가

워따메 자네는 총구가 존께 그렁 것도 안 이자부네이

내가 온 동네 지샷날을 외는 사람인디 고런 것을 잊어불것능가 자네 함마니가 배녕 진사댁 아씨였담서

이 근다네 잘난 남동생도 세 분 있었다여

근디 낮에 본 노인이 형편이 좋아 비든 않든디 가세가 지울었드랑가?

우리 함마니 이야기를 풀어노면 소설이여 동상들도 징하게 고상들 하고 사셨능갑대 인자 자석들 장성허고 그만저만허게 살게 된께 금정 가서 당신 누님 살든 데를 더텼는디 우리 친정 본가가 금정 뜬 지 오래 되얏능가안 동네 사람이 여그 우리 집을 갈케 줬단 거시여

부자가 망해도 삼대를 간단디 끌텅있는 집 자손들이 으째 험한 일꾼같이 되얏으까

맘 아픈 사연이 다 있다네 우리 함마니는 애기 때 이미 정혼이 되얐다여 부잣집 양 님딸로 곱게 입고 글이나 읽음서 컸는디 열다섯 살 되얐을 때 호열자가 그라고 심 히 돌았다등만 하루는 시집이서 시아바님 돌아가셨다고 기별이 왔드라네

아 긍께 호열자로 돌아가셨구만이

이, 민적도 안 올린 시집으로 머리 풀고 흰 가매 타고 갔드랑만

옛날에는 약속이 법보다 앞섰어이

그라재 약속이 먼첨이재 법이 먼저가니

거그서 초상 치고 삼우 지내고 있는디 친 정에서 또 기별이 왔드라여 친정 아바님 이 호열자로 돌아가셨응게 언넝 오라고 말이여

으차끄나

이튿날 새복에 가매 타고 금정서 배녕으 로 갔다여 해 있을 적에 도착은 했는디 그 새 어매까지 돌아가시고 매장도 끝나불고 온 집이 풍지박산이 났드라네 방에 들어 가 돌아봉께 당신 시집 보낼라고 어마니

가 준비헌 비단이네 모시네 패물이네 앙 꿋도 없이 하님들이 다 가져가불고 문서 는 작은아배들이 싹 챙개 가불었드라네

와따 시상 인심이 그라고 무서와부네이

아야 성용이네야 느그 강진 인심이 영 좋 지가 안 하다이

나는 배녕 아니고 성전이여

성전이나 배녕이나 거그서 거그재 영암으 로 치면 성안에서 구림 가기만 허드만

염병 저것은 까딱허먼 나를 잡어 묵을락 허구만이 시끄럽다마시 동준네 말 잔 들 어바아 그래서 으치꼬 되얏당가

동생들은 인자 애링께 누님만 보라꼬 있 었을 것 아니요 부모 안 계싱께 하님들에 부엌데기들까지 구박을 하드랍디다 동상 들이 배고프닥 해서 뭣 잔 찾아 맥일라고 정지 들어가먼 정지깐 종들이 소락데기를 꽥 질르드라여 아씨는 가서 책이나 읽어 걸거칭께 들오지 마러! 머슬 안다고 정지 로 들어스까허고 반말을 찍찍 허고 아조 서럽기가 말할 수가 없었다여

배락마질 것들이네이

그라다가 일 년 후에 으찌케 그작저작 해 가꼬 시집을 갔는디 상중이라 흰 가매를 타고 갔다요 동상들이 인자 열시 살, 열한 살이고 막둥이는 아홉 살이는디 그 막둥이 동상이 오늘 오신 냥반이어라 동상들이 가매 뒤에서 누님누님허고 부르는 소리에 금정 올 때까장 울었다 안 하요

오메 으차끄나 눈물 나서 못 듣것다야

차말로 짠항 거 영화도 그런 영화가 없것다야

그 뒤로 작은 아배들이 집 처분해서 나놔 가불고 동상들은 작은아배 집집이 땔나무 꾼으로 데꼬 가서 문서 읍는 종으로 징하 게 부래 묵엇능갑서 공부도 안 시기고 새 경도 안 주는 소문은 들었재마는 그 옛날 에 시집살이 허는 각시가 친정 동상들 돌 아볼 심이 있것능가

오메 그 속이 오직 했으까

시집살이가 강했다여 집이서 책만 읽다 시집을 강께 일속을 통 모르재 친정이 짱 짱허먼 하님 한둘 딸려 시집을 보내든 시 절이라 그도 숭이 안 되는디 친정 뿌렁구

가 빠져부러서 이도저도 아닝께 시집이서 누가 대우를 해줬것능가

서리 내린 시상 사셨구만 내우간에 금실은 좋으셨당가?

아이고 글도 안 해

어째 인물이 잔 빠졌으까?

아니여 성님 우리 고모 안 보셨소 눈 홀리게 날랍게 생겼소안 당신 어매 닮았다요

자네 함마니 안 되얏네 태나기는 귀허네 나가꼬 죽은 부모가 눈을 못 감었것구만

글 읽는 재미 아는 양반이라 머시든지 책이 있으면 그라고 읽으시드락하대 어디서 이야기책 한 권 얻으면 소두방 달싹거린디도 책 읽니라고 뜸 안 디리고 한정 없이 불 때고 앉었다가 시어마니한테 혼짝이 나고 그랬다여

남자 성제간찌리는 왕래허고 살었당가?

아니랍디다 성제간에 으디 산지도 몰르게 물짜게 살았다요 오늘 오신 냥반도 작은 아배네 머심 살다가 서울 올라갔다여 나

는 귀헌 집 자석이었다 우리 누님은 영암
금정면 사신다 그 맘 하나 품고 빼가 녹게
일을 해서 아들 둘 대학 공부를 시겟다우
한나는 선생이고 한나는 은행 다닌다요

개미네 함마니 야그가 라지오 연속극보
다 슬퍼부네 아이고 슬퍼서 내 속이 막 씨
리네
어따매 성용아 니가 뭔 슬퍼서 속이 씨래
야 입맛 다실 거이 그리웅께 속이 씨리재

4

항
꾼
에
사세

4부 항꾼에 사세

참말로 도깨비 만났대요?

오늘사 말고 암도 없으면 어짤라고 기뺄 없이 오셨소 근디 이라고 얼굴 봉께 여간 좋소야

달 볼긍께 싸목싸목 걷기 좋아서 내레왔네 달도 희고 쌓인 눈도 희고 대낮이나 한가지여 이런 날은 앉은뱅이 시암 구신도 시암 가새 보라꼬 앙거서 달 귀경 헌단디 오늘은 안 뵈이대야

오메 성님 그런 말 좀 허지 마아 집이 갈 때 무섭단 말이오

웜마 머시 무사야 도채비하고 친해지면 부자도 되고 그런 거시여. 그란디 성님 오실 때 안 나왔당께 너 갈 적에도 안 나오꺼시다.

오메 풍신 시종떡 너나 홈빡 친해지고 미남자 도채비허고 정분도 나고 그래라이

참말로 도채비는 있는 거시여 성님네 고샅 꼬랑 우게 뽕밭 안 있소 거그서 우리 함마니가 도채비 떼를 봤다등만 오늘만치 달이 맹갱같은 날 영심이 집서 놀다 오신

98

디 뽕밭에서 날씬헌 여자 서이 뽕을 따드락 안 하요 전에는 노무 밭에 뽕잎 돔바가는 사람들도 있고 안 그랫소 우리 함마니는 그란 중 알고 큰소리로 지천했다요

오메 감장들 잘 못 허네 이슬 묻은 뽕잎 묵으먼 누에 죽어부네 와따 그 말이 땅에 떨어지기도 전에 그것들이 앞부터 하나썩 뽕뽕뽕 사라져 불고 천지가 괴괴하드라여 우리 함마니가 간이 큰 양반인디도 이것들이 도채비구나 생각항께 소름이 쪽 끼쳐가꼬 사립 내차고 방으로 담박질을 하셨다여

자네 함마니 무사서 오줌 지래부렀것네 오메오메 나 좀 봐야 야그 듣니라고 콩을 주서서 뉘 골라둔 디다 너부렀다

우리 영감도 갈에 금정 큰집서 지사 지내고 온디 도채비에 홀려서 무단히 심 뺐다고 그라대

오메 으짜까 요새도 도채비 보인다요 성님네 아자씨가 봤다먼 고것은 참이재. 그 냥반이 빈통없는 소리 하실 냥반이가니

99

이, 참말이여 지사 지내고 오신디 달이 으찌케 볼긍가 구정봉 바우 틈서리에 잠든 여시가 말가니 뵐 것 같드라네 자시 지나 축시 되야간 시간잉께 질에 뭔 갱아지 한 마리 없재 공회당 지나 으슥하니 전봇대 서있는 신작로가 굽은 데가 없응께 앞이 훤한디 저만치 흰 두루매기 입은 사나그가 흔연시럽게 걸어가드라여

아이고 잘 되얐다 아직 오 리나 남었응께 말이나 함서 가야쓰것다 허고 길 줄일라고 부지런히 걸었다여 우리 영감님이 본시 걸음이 잰 냥반이여 근디 그 사람은 더 빠릉가 어짠가 방방하니 그만헌 거리가 줄어들들 않드라네

나도 걸음이라면 누구한테 지는 사람 아닌디 저 사람도 공장히 빠릉만 허고 영감님이 불렀다네 거 앞서가는 길손님 으디 가시는 길이요 같이 가입시다허고 말이여 오메 그랬드니 앞서 걷든 사램이 휑하니 사라져가꼬 종적이 뫼연해불드라여

오늘 일은 크게 나부렀구만 성용 어메야니 무솨서 집에 가기 다 틀려부렀다

100

우리 함께 사세

찰밥 잔 묵어보소 길자 즈가부지가 군입 정거리 없냑 해싸서 찹쌀 한 주먹 불렸네 손에 앵긴 대로 밤 대추허고 은행 몇 개 넣는디 입에 마진가 잘 잡수대

맛나면 다 잡솨부럿재 우리 모가치 남은 것 봉께 맛이 없었능갑구만

음마 염병 묵고자버도 냉개놨는디 내가 무단한 짓 했구만

오메 맛나요 성님 성용 어메 허는 말 듣지 마쑈 우리 줄라고 이라고 맛난 것 냉개놓는 성님이 기싱께 나가 으디를 가고자파도 못 간단 말이요

지달려 보소 장깡에 콩노물국 사르라니언 것 있네야 언넝 퍼오께 같이 묵어보소 그냥 묵으먼 목 맺친단마시

어야 자네 으디 갈 데 있능가? 가고자퍼도 못 간단 말이 뭔 뜻이 있는디? 용만이가 서울 올라오락 허등가?

이, 즈가부지 지사 때 와서 글드만 팽생 노무집 소작질도 징항께 즈그집 와서 애기들이나 쪼까 봐주먼 내우간에 공장 다닐

102

란다여 시방은 아들만 댕깅께 심 잡기 잔
에랜갑써

어짜끄나 암만해도 자네 응뎅이가 뜰썩헌
판인디? 자네 가면 나는 누구를 벗하까

아니여 못 간다고 했당께 서울이 으디라
고 내가 거그를 가 천지에 아는 사램 한나
없는 디서 머슬 보라꼬 살것능가 오메오
메 농사짓기 심 안 들어야 나는 나 살든 디
서 살란다 그랬네

아따 묵기 딱 좋게 살얼음 졌네 얼렁 묵어
보소 콩노물이 꼬숩네 근디 용만네 자네
아들 따라 갈라고?

안 간단 말이요, 성님 두고 내가 으디를 가
요

그라재 가지 마소이 즈그 새끼 즈그가 키
와사재 우리는 역서 요라고 사세 있으면
나놔 묵고 없으면 뒤지 딱딱 글거서 노물
죽 끼래 묵음서 항꾼에 사세

장
가
르
는
날

춤추고 잡게 너룬 날이네

장 갈르기는 더 없는 날이요 바람 한 오리가 없구만 장 맛나것네 메주 내가 꼬숩소

어야 황산떡 거그 팽이 잔 띠어감서 메주 가리 버무르소 콩 안 남게 치댈라면 심 잔 드꺼시네

그라재라 심 들어도 허는 짐에 곱게 해사재

성님네는 산수유를 심어놓께 이때도 마당에 볼 꽃이 있소이

화순떡 자네 그 말 아는가?

먼 말이요?

참꽃이 개꽃허고 같이 피면 누가 참꽃을 보며 산수유가 개나리허고 같이 피면 누가 산수유를 볼 것이냐 허는 말이여

대처나 그요이 참꽃이 개꽃 저테 있으면 빛이 죽재

꽃 하나 피는 것도 하눌이 짚이 생각고 허시는 일이여 그래야 꽃마다 이쁨 받을 것 아닌가 오늘 장 대래 부서놓고 낼은 참꽃 따다 화전놀이 허세

급시다 참꽃은 눈 깜작헐 새 져분께

어야 불티 조심 허소 불을 잔 들이 때소

물에 비친 찔레꽃

나는 꽃 중에 찔레꽃이 질로 좋아라

우리 친정 앞 또랑 너매 찔레 덤불이

오월이면 꽃이 만발해가꼬

거울가튼 물에 흑하니 비친단 말이요

으치께 이뿐가 물 흔들리깜시

빨래허든 손 놓고 앙거서

꽃기림자를 한정없이 보고 있었당께라

그것으로 작문 써서 소학교 때 상도 받었어라

인자 봉께 화순떡 자네 딸이 군내 백일장 장원 헌 거시 어매
탁애서 글구만

고드름 녹아 똑똑 지시락물 떨어지는 소리에 맹치가 재리네

오직허것능가

뒤안 대삽으로 바람 넘어가는 소리 나면 가심에 눈물 괼세 바람소리 땀시 인기척 못 들었으까미 무단히 봉창 열어본당께 죽은 이가 인기척 내고 오꺼싱가

간이 녹는 말이시

서방이 그리우먼 서방 얻어 가것다만, 다 큰 자석 땅밥으로 줘불고 낭께 배람빡 없는 방에 눘는 것 같네

우리는 모다 새가 되것네 사람 그리워 보대끼다 죽으면 새가 된다네

그래잉 사잿상 흰쌀에 개 발태죽 새 발태죽 나는 것 보면 자네 말도 일리가 있네야

옛날에 박제상이란 사람을 임금님이 왜놈 나라로 심바람 보냈다네 거그서 죽은 중 몰르고 마느래가 치술령 고개서 동쪽 바다 보라꼬 섰다가 새가 되았다여

박제상 마느래는 날개 피고 훨얼훨 서방 찾어서 갔것구만이

아니 아니여 우리 친정 동네에 제상 마느

108

래 신 받은 당골래 말이 그 새가 바우 속으로 들어가 숨어부렀다데 그 당골래가 정초 되먼 갱상도 새수미바우로 공디리러 가드랑께

나넌 그 맘 알것네 서방 죽웅께 으째 그라고 놈보기 우세시런가 놈들이 내 뒤꼭지다 대고 수군거린성싶고 미치것드만

속이 까깝항께 청천하날에 까마구 나는 것도 시언허게 보이데

자네가 날고 싶은갑네 그래도 나넌 까마구거치 물짠 새는 안될라네

아먼 시종떡 자네는 창가 잘 항께 꾀꼬리 되꺼시네잉

워메 함바트먼 그람 자네는 머시 될랑가?

쭉쭉쭉쭉 우는 멧비둘구가 되끄나 유자밭 가생이 쭈밋쭈밋 도요새가 되끄나 눈꾸녁에 불 쓴 빙이가 되끄나 청천하날에 솔개미가 되끄나 더뭐봉께 그도저도 다 슬코 암수가 자별헌 꿩 되고잡네

장끼여 까토리여

에나 까토리재 장끼까이

나는 죽지에 새끼들 품고 지스락 속에 잠

든 참새 될라네

그라소 나가 사다리 타고 올라가 콱 잡어서 꿔묵어불랑만

워메 역상일래 묵을 생각만 놀놀해가꼬 저 지앙시렁 거

인자 빨래 다 볼바진 것 가튼디 뒤집어 볼바야것네

아니여 자네 오기 전에 영보떡이 한바탕 봅꼬 뒤집어논 거시여 인자 따듬으면 되야 다듬독 잔 욜로 밀어오소

그랍시다 성님 요놈 도닥임서 또닥새 놀음 잔 놀아봅시다

성님 치술령 바우 갈 것 없것소야 죽은 서방 살려주소 나간 서방 오게 하소 존일에 우리 자석들 잘 믹이고 갈키게 해줍소사 밤새도록 따듬독에다 공 디레붑시다

디딜방아 추억

찹쌀에 뉘가 잔 만하요 나가 깨깟허니 치레
디리께 인절미 치면 한 볼테기 주쑈 성님

그라세 시상은 존 시상 아닌가 요새는 방앳
간 가면 떡국 섬이 줄줄 나오고 인절미도
기계로 쳐준께 떡 해묵는 것 일도 아니대

뜨건뜨건 설설 짐 오르는 찐밥 부서놓고
디딜방애 찧던 일 생각나시요? 심은 들어
도 재미졌어라이?

심 안든 일 있었가니 학독에 보리쌀 가는
것도 건덕꿀로 하면 밥이 입에 거치네

젊어 청춘이었재 들보에 매인 사내키 손
에 틀어쥐고 방애 볿기 시작하면 허리에
심이 딱 들어가고 둘이 볿바도 한 몸 같이
딱딱 장단이 맞었어라

엊그저께 같소야 시어매 숭 보고 서방님
숭 보고 부잡한 웃음엣소리허고 노래 부
르다보면 일도 소랍고 한나잘이 눈깜짝헐
새 가불재

방앳소리 한자리 해보소 그 소리 들은 지
오래 되얐네

아따 나는 소두방소리여 방앳소리는 시종
떡이 귄있게 잘 했재

방애 찧다 끄니 때 되면 독쟁이 아짐이 바가치에다 짐치 썰어넣고 참지름 부서서 밥 비배 왔재 그 밥가치 맛나쓰까

맛나고말고 바가치를 으찌케 큰 박으로 맹글었는고 말가웃은 들것다고 했냐 안

방애 볼씀서 바가치 밥 번갈라 퍼 묵는 그 맛 누가 아까이? 머슬 묵은들 그 밥가치 맛날라디야

그때가 삼삼허시 젊은 혈기가 왁자헐 때 아닌가

젊응께 고상도 재미지고 하룻밤 자고나면 개안허고 그랬재 디딜방애 찐 날은 고샅에 웃음소리 한나 차서 동네가 방방했능 가안

아니사까 묵는 말 항께 배가 잔 구풋한디 성님 입 궁금헌께 무시 한나 파오께라?

이 그라소 지사 지내고 냉개논 떡이야 전 쪼가리야 대청에 있네 그것 내올텡께 자네들은 무시 파오소 말래 선반에 후라시 있응께 들고가

오메 추와라 아야 정순아 떡만 묵고 말재

뭔 무시를 묵을락 하냐 쩌번창께도 니 무시방구 징하드만

염병 내가 은제 무시방구를 끼어야 니가 퉁퉁 대들보 내래앉게 끼었재

오메오메 소리 나는 방구는 냄시 없어 내가 너 땀시 코창이 뚤어져가꼬 석달 열흘 음석 간을 못 바서 성용이 아배한테 소박 맞을 뻔 했당게

니가 간을 못 바서 소박 맞어야? 얼골이 못나서 소박맞을 거인디?

사둔 놈말 허고 자빠졌네 정순 아배가 눈이 토하만 항께 니 낯을 못 바서 펭생 데꼬 사꺼이다

시끄라! 후라시 잔 여그 잘 비치란 말다

오메 저 바람 든 무시같은 예펜네들 보소! 그라고 이난 소리 섞어 파오먼 무시가 더 맛나등가?

봄풀은 약

성님 건개 멋 해서 드시오? 우리 집 호주
가 까딱허먼 저븜으로 상을 콩콩 찧요

눈밭에 시금초가 달디 달드만 인자 시들
해불고 몰린 풀치라도 올릴라먼 장날 지
달려사 쓴께 성가실 때네

오늘은 들깨가리 풀어 쑥국 끼링께 상기
허니 좁디다야 들바람이 쪼깐 쌩콩헌디
메똥 앞은 따땃항께 쑥이 우하대요

나도 낼은 들질 더퉈봐사것네

단오 전에 봄풀은 다 약이여

물
맞
으
러
가
세
장
구
가
락
두
드
리
고

성님 올해는 물 마지러 가시재라?

너는 그렁 거슬 묻냐 사시장철 영감님 그
늘만 빵빵 돈디 거그도 안 가시먼 숨이 맥
해 못 살재 안 그요 성님

자네가 아조 내 속을 자유자재로 출입허
네 나도 기언치 갈라네 큰골 물 좋아서 물
맞고 오먼 몸이 가붑대

잘 되얏소야 작년에 성님 안 기싱께 영판
허전합디다야

글제 성님이 빠지먼 우리 고샅 사람들은
암만해도 허전해

이, 글고 생각해중께 고맙네 요참에도 연
순이가 장구 잡는당가?

긍갑습디다 그것이 흥도 있고 허리가 낭
창해가꼬 장구 매먼 귄이 짝짝 흘러라

아따 저 별 잔 보소 한 바지게나 쏟아져 내
래오것네

저 별이 다 쏟아지면 요 팽나무가 별나무
가 되것구만이

하하하 글것네 자네도 한나 따가고 자네
서방님도 한나 따다 디리소

오메 성님 두 개만 따가라고? 우리 자석이 다섯인디 둘 가꼬 되것소

긍가? 저 존 별을 일곱이나 줘도 되끄나 성용 어매 생각은 어쩡가

안 되재라 둘도 으디라고 일곱이여 나헌 테 절 한 번 해바라 글먼 내가 성님헌테 북두칠성 몽땅 너 주라고 허마

염병 북두칠성 얻을라면 삼신할매헌테 절 허재 머다러 너헌테 해야 오메 모기가 등 산이네 잡엇!

물렸능가? 쑥대 잔 더 너소 불이 사그라진 갑그만

무지개통도 참 존디 거그는 은제나 가보 까?

나는 육요 전에 가보고 안 가봤네 난리 후 로는 산이 무솨져가꼬 거그까지 안 가지대

전에는 무지개통 갈라먼 열흘 전부터 마 느래 저테 자도 안 되고 괴기 묵어도 안 된 께 부정 안 타고 가기가 어려왔다요

그라재 어느 어르신이 초상집 갔다 온 것

깜빡 잊어 불고 제 지낼 목간허러 갔는디
물이 안 내래오드라네

신령이 노해부렀으까?

이, 그래서 어짠 일인고 올라가봉께 허벅
다리만허게 구랭이 두 마리가 칭칭 접으
로 감개가꼬 물을 막고 있드라네

오메 무솨라 무지개통이 참말로 존디 성
님 말씀 들어가꼬 더 못 가것네

우리 동네사 으디를 가도 금물이재 용치
도 좋고 큰골 작은골 이 앞에 냇갈 물까장
안 존 데가 인가니

아야 학산떡아 물이 금물이면 쓴다냐 시
상에 금이 암만 좋아도 물허고 땅은 금 되
면 안 되야

오메 시난 소리가 풍년이다이 염병 말이
그렇다는 거시재

그라고 말고 성용이네 말이 참으로 장헌
말이시 물허고 땅은 금 되면 안 되야 성용
이 자네가 저 북두칠성 다 가지소

암만 해도 땅꼬네 함마니 가실랑갑써

이? 많이 구져지셌당가?

포도시 늦다 앉었다 허신단디 내가 시방 땅꼬네 고샅서 불 나가는 것 봤단 마시

혼불 봤어?

이, 꼬랑지 없이 말간 덩어리가 휙하니 용치 짝으로 가데

오메 으차꼬 낼모레 소식 오것네

일은 참 큰일이네 나가 이라고 해서는 안 된디

으째?

그 아짐이 자리보전 했단디도 죽 한 번을 못 써갔당께 그라고 가새불면 낮바닥 들고 땅꼬 어매 보것능가

나도 피차일반이여 말복 때 닭죽 한 그럭 광준네 고샅에서 전해주고는 꼬치 따고 깨 비어서 뚜둘고 정신이 없었네야

자네나 나나 암만 바뻐도 낼 아적 묵고는 디래다보세 머슬 해가사 쓰까?

밈이나 죽이나 써가사재 어짜것능가 살아서 밈 한 숟꾸락이라도 공궤해야제 숨 떨

120

어지면 아무 소양 없어

그라세 기운 돋울라먼 시금자죽이 좋것재?

이, 우리가 올해 시금자를 나소 했네야 내가 시금자 두 홉 내옴세

그랄랑가 나를 주소 내가 거그따 쌀 갈아서 새복같이 쑬라네

잘 되얏네 아침 손 노는 자네가 잔 해주소 내가 허먼 존디 손지 새끼들 밥 믹애 학교 보내야 됭께

늦게 잡고 되게 친다고 우리가 아조 그짝 났구만

시금자 여그 있네 낸 짐에 쪼깐 더 냈응께 자네 서방님 한 번 써디리소

으짜끄나 나까지 줄랑가 받으니 좋기는 허네만 나는 머스로 갚어사 쓰꼬이

이 사람아 내가 자네 덕을 얼매나 보고 사는 사람잉가 행이나 그런 소리 마소

거 먼 소리 내가 덕 보고 살재 어야 거그 배람박에 달력 내래서 여그 까소 깨 부서 놓고 잔 고르세 근디 땅꼬네 함마니가 자네 집허고는 각별헌 사이여이?

그라재 그 아짐이 우리 시어마니하고 둘
도 없는 동무였니 그 아짐이 땅꼬 아배 난
후로 생산을 못 했는디 우리 어마니는 열
둘이나 낳능가안 암만해도 농사는 바쁘고
새끼들은 주렁주렁항께 그 아짐이 우리
시집 성제간들 업어 키다시피 했다등만

속이 안온한 냥반이라 그랬을 거이네 그
라고 살먼 친이모보다 낫재

존 냥반이라 가실 때도 존 계절 받어 가실
랑갑네 집집이 가실도 끝나강께 성대허니
모시것네

근디 오늘은 당아 정순네가 안 오네이 잔
오먼 쓰것구만

아까 시암에서 짐치꺼리 짠뜩 시치등만 저
녁밥 묵고 뒤아지 밥 주고 지까심 소금 쳐
놓고 그럴라먼 잔 늦재

정순 아배가 성용 아배허고 공자 아배 시
개서 생엣집 거풍해야것네

그라믄 좋재 삼월에 문석이 조부님 초상
치고는 안 썼응께 거풍 허고 딱고 연꽃 빠
진 데 개비허고 그라믄사 좋고말고

어야 길자어매

이?

자네허고 나는 누가 먼저 갈끄나? 나가 먼저 가면 자네가 내 생에다가 연꽃 한 송이 곱게 달어줄랑가? 냇갈 앞이서 생엣꾼들 다리 쉴 때 나 듣게 잔 울어줄랑가?

그라재 꽃도 달어주고 울기도 울어주재 자네 속을 내가 알고 내 속을 자네가 안디 울락 안 해도 눈물이 날 거이네

샘에서 개짐 빨지 마

성님 오늘은 내가 숭 잔 볼라요

으차꼬 갱심이네도 노무 숭 볼 줄 앙가?

갱심네 속에 할 말이 땀뿍 들어차부렀능 갑소 성님

아먼 모여 놀 적에 노무 숭 빠지먼 허전허 재 뭔 소링가 언넝 해보소 듣고자파서 잠 이 파딱 깨부네

성용네가 자울자울해서 저 실이 지대로 감긴가 어짠가 성가시등만 숭 본당께 눈 꾸녁이 초롱초롱해불구만 하하

독고샅 순만이 각시가 개짐을 꼭 시암에 갖고 와 빤단 말이요

머시 어째! 묵는 시암에서 개짐을 빨아?

워메워메 시암안집 아짐 허시던 말이 맞 구만이

간나구같은 년이시 온 동네가 다 묵는 시 암에서 뭔 짓거리다냐

순분네야 니 욕이 간이 딱 마저분다

으찌케 보기가 싫길래 지가 말을 했어라

어야 개짐은 냇갈서 빠소 여그는 묵는 시

124

암 아닌가 좋게 말했는디 획 돌아봄서 그 물이 그물이재 저 아랫동네 사람들 냇갈서 풋것도 시치고 그란 줄 암서 아짐은 으째 냇갈에 요강 시크고 개짐 빨고 하요? 글드란 말이요 포르라니 눈이 꼿꼿해가꼬 싸남을 부링께 말 섞기도 염이 나서 물동우 이고 와부렀어라

아랫동네 사람들이 풋것을 뭔 냇갈 물로 시친당가 은심네 앞 냇갈 가새다 옹달시암 파놓고 거그서 씨크드만

안 그래도 순만이한테 셋방 빌래주고 연자 엄니 복장 터진다 해쌓대

급디다 초갈에 연자네 성님이 깨 뚜둘기래 담 너매로 깨 뚜드요 그랑께 어야 성용네 들어와서 쩌그 덕석에 꼬치 잔 뒤집어주소 하시드니 정제서 모시떡 내오심서 징을 냅디다야 오메 송신 낭 거 즈그 밥 해묵은 경을 언넝언넝 설거져사재 상 뻗대놓고 잠만 퍼장께 장국에 포리가 우하네 그라드랑께 정제를 같이 쓴께 징하재

어짜끄나 예펜네 기으르먼 삼족을 그르친

디 순만이가 각시를 못쓸 것 얻었네이

옛적에 여자가 기우르먼 삼족을 맬해 부
럿단 말이요?

아니 그거시 아니고 예펜네 기우르먼 지
집구석 못 쓰게 되재, 즈그 친정 욕되게 허
재, 딸년이 보배운 것 없응게 시집가서 같
은 짓을 허재

아따 그라것소 무선 말씀이요야

성님 말씀이 딱 맞어라 추석 끝에 만종이
아짐이 욕을 걸지게 쏘아붑디다 알고보면
순만이 장모가 욕 묵은 심이재

그 아짐이 목청 크고 입이 걸어도 갱우 없
는 말씀은 안 허시는디

이, 순만이 각시가 추석 끝에 즈그 서방 한
복을 빨아 널었드라네 근디 동정도 안 뜯
고 대고 빨아가꼬 널어놓께 동정 속에 든
종우가 녹아서 히밀히밀허재. 그것을 만
종이 아짐이 봐부렀어

오메오메 으뜬 느자구없는 년이 딸년을
보지만 키와서 시집 보냈다냐아

딸 이름을 돈 주고 지어?

참말로 밸적시럽재 메느리란 년이 아적밥
묵다 말고 숟꾸락을 땅! 놓고 뽈깡 인나서
나가분 꼴을 다 봤소 시아부지 진잡순디
에럼스럽없이 그랄 수가 있을까

먼 일이랑가 자네 메느리가 그라고 갱우
없든 않든디

아야 월출네야 느그 메느리가 그랄 애기
가 아닌디 누가 밥상머리서 여간 서운케
했능갑구만 그것 시집온 뒤로 유제서 날
마동 시어빠지게 봤재만은 여간 낫낫하고
손끝 야무지고 메느리 잘 얻어서 부러뵈
든디

그라재 나도 알아야 우리 메느리 어따 내놔
도 노무 앞을 차고 나가재 뒤처지든 안해

근디 어째 그라고 버릇 없는 짓거리를 했
다냐 암만해도 니가 수상허다야 니가 징
하게 불쑥불쑥 말방맹이 아니냐 아조 사
람 속을 뒤집어분 기술이 있당께

머시 어째? 알도 모름서 탱자탱자 한다등
만 도포떡 너를 두고 난 말잉갑다

오메 이 사람들 또 타시락거리네 시살 묵
은 애기들도 아니고 참말로 성가세 죽겄
네 그나저나 월출네 자네 메느리가 어째

그라고 썽이 났드랑가

저지난 달에 애기났소안 이날토록 애기야
애기야허고 불렀는디 오늘 아척에 밥묵다
말고 즈그 시아부지보고 아바님 애기 이
름을 져야 쓰꺼신디 장날 읍에 가신 짐에
이름 한나 져다 주씨오 글드란마시
글고봉께 메느리 몸푼 지가 그새 두 달이네
이 그래서 자네 영감님이 머시락 했능가?
즈그 시아부지가 미차 답을 못헌 참인디
내가 그랬재 아야 먼 가스나그를 돈 주고
이름 짓는다냐 가실 타작마당 사뭇다 바
쁠 때 났응께 마당순이락허든지 부자 되
라고 부들이락 허든지 그라면 되재 그랬
등만 그 염병을 허드랑께요
염병은 니가 염병땜병을 했구만 내 말이
아조 점쟁이 말씀이랑께 성님 저집이서는
월출네 저것이 동티랑께라
아야 도포떡아 나 죽으면 너 심심헐깜시
못 죽어야 니 이름은 돈 주고 지섰냐 느검
니가 갈쿠나무 한 짐 해놓고 났다고 한짐
이락 했담서 박한짐이! 시상에 가스나그
이름을 돈 주고 짓는 집이 으딨따냐 돈이
썩었능갑따 성님 안 그요?

어야 월출네 요새는 시상이 개맹해서 꼭 그라든 안 해 동란 때 저짝 사람들 시상 되았을 적에 여맹에서 날마동 노래 갈치고 사상교육허고 안 했능가 딴 말은 잘 모르것는디 남녀가 팽등허다고 헌 그 말은 내 귀에 쏙 들어오대 메느리 서운항께 손지딸한티 자꼬 가시내 가시내 허지 마소
나는 몰것소야 그래도 남녀가 유밸하재 시상 개맹한다고 여자가 남자 될랍디여

자네들 자꼬 타시락거리면 미영씨를 성질 난대로 되나케나 발길감성께 이야기 한 자리 해주까? 딸을 야달이나 나가꼬 소문나게 이름 진 비석거리 영감님네 사연인디 들어볼랑가?
좋재라 한 자리도 좋고 열 자리도 환영이요 성님
비석거리집 아짐이 첫애기를 낳께 첫딸은 살림 밑천이라고 좋아서 '제일'이라 했다네 연년생으로 둘째 딸을 낳께 연이어서 딸이라고 '열이'라 시짜도 또 딸잉께 묘한 일이로다허고 '묘삼'이라 했다여 오메 근디 니짜도 딸이란 말이여 영감님이 잔 서운했능가 아뿔싸 또 딸이네허고 '아사'라 했드라네

오메오메 애기 이름이 아사가 머시대 하
하하
하늘도 무심허재 오짜도 딸을 났는디 영감
님이 암맛또 앙코 말래 끝에 앉으셨다가 괴
이헌 일이네 허시드니 이름을 '괴오'라 지
었다네 여섯짜는 분하다고 '분육'이라 일
곱짜는 이것이 뭔 망쪼라냐허고 '망칠'이라
야답째는 허허 웃음배끼 안 나온다고 웃을
소짜 '소팔'이락 했다여 아홉짜가 천만에
다행으로 아들을 나가꼬 그 애기가 작년에
중핵교 들어간 귀냄이 아닌가

오메오메 우스와 죽것네 참말로 신문에 날
일이요이
긍께 이 사람아 딸이라고 우섭게 이름 지어
주면 쓰꺼싱가 모레가 장날잉께 영감님 장
보러 나서거든 메느리 본대서 청하소 우리
손지딸 착허고 커서 부자 될 이름 한나 지
어 오시쑈허고 말이여
아이고 성님 말씀이 성핸 말씀이요야 월출
네야 메느리헌테 서운케허면 느그 아들 속
이 좋것냐 성안에 한약방서 봉초 한 봉 값
주면 이름 지어준단다 꼭 성님 말씀대로 해
야써

버들고리에 혼수가 가득

워메 허리야으 시어마니 보신 두 죽 맺었
소 성님 따북따북 고리짝이 차가그만이라
새각시 보신 두 죽에 신랑 보신 한 죽잉께
인자 솜보신 바느질만 허먼 되야라 간디
고것은 낼부텀 헙시다 성님 어깨도 아푸
고 눈꾸녁이 빠질락하요야

그라것네 도포떡 참말로 고맙네이 거그
잔 지대 안소 군입정거리 잔 챙개올라네
손에 복 탄 귀헌 사램들헌티 밸미를 믹애
사쓴디 묵잘 것이 있능가 몰것네

예 성님 맛난 것 짠뜩 내오쑈이 어야 월산
떡 자네도 내래놓고 쉬소 쪼까 쉬었다 허
랑께

예 아짐 여그 귀갑만 치고 내래 놀라요 허
다 말다 글먼 실 댕기는 힘이 고르들 안 해
라우

그 고리짝 속은 알록달록허니 여간 곱것
네이 멋멋이 들어강가?

시방 다 된 놈이 요 인두집허고 실패 시 개
바늘방석 두 개 비겟모 일곱 개 횟대보 에
다 양복덮개요 오늘은 인두집까지만 허고
쪼각보 상보 행주치매는 각 시 개썩 맨들

께 또 메칠 날 받어서 맹글어야지라

뉘비 바느질은 음마나 되얏능가?

뉘비 저구리는 맹지 둘 미영베 둘 허고 속
바지를 두 개썩 맹글았어라 맹지가 으찌
케 물이 곱게 들었능가 흡족허게 일을 했
구만이라

먼 색깔로 했능가?

한나는 괴화물로 연노랑 디리고 한나는
쪽물에다 깃동만 자주색으로 다요

치매감도 따로 물 디랬등가?

아니라 치매감은 비단집이서 사신다등만
요 그란디 여그 아짐이 뉘비 방이불 한나
해보냈으먼 하요야 그것이 여간 시간이
걸린디 혼연날이 석 달 남었닥 해도 보름
지나먼 농사일이 만해징께 꺽쩡시럽소야

어쨔것능가 해드래사재 간디 괴화물은 백
분 매염으로 헝가? 자네 물 디릴 적에 나
잔 불러 갈챠주소 나는 봉자 시집보낼 때
침모 디래 놓고 혼수 못 헝께 내가 알아서
해야 안 쓰것능가

먼 그런 꺽정을 하신다요 봉자 날 잡으먼
물 디리는 부주는 지가 해디릴 수 있어라
오메 내가 오늘 홍재했네 자네 꼭 약조햇

네이

위메 나 짜구 나부렀소 성님이 우리 묵을 음석 새로 장만헌 줄 참말로 몰랐어라

구풋헌 차에 맛난 것 묵응께 아짐들이 겁나 이뻬 뵈이요야

머시? 음마 월산떡도 웃음엣소리 헐 줄 아네 어이 거그 고리짝 이리 주소 월산떡 솜씨 귀경허세 도포떡 여그 이 속바지 잔 보소 이라고 아남팍이 똑같은 뉘빔질 봤능가?

자봉틀도 아남팍이 달른디 월산떡 자네 뉘빔질은 천상 직녀 솜씨네 물팍 우게로는 가는 뉘비 아래로는 굵은 뉘비가 기가 맥히요 성님 붉은 실 남색 실로 호랑 끄터리에 귀갑친 것 잔 보쏬. 꽃이네 꽃이여 이 바지를 아까서 으찌케 입으까

이, 내가 월산떡 솜씨에 반해부러가꼬 보고 또 보고 그러네야

깃방석허고 인두집은 색깔을 반대로 맞촸는디 그것도 영락없이 짝이 되얐네 바늘방석허고 실패도 갖고 놀고잡고만 비갯모는 시집 갈 큰애기가 논 수지라?

이 즈그 오라부댁허고 같이 났다네 수놓는 것은 우리 큰메느리가 잘 해 이 비겟모들로 비게 맨들아 이불장에 조르라니 엉거노먼 살림 재미가 나재

이불장도 해서 보내요 성님? 아자씨가 삼층장 한나 해노셨담서라

나가 푼푼이 몬 돈으로 먹감나무 이불장 한나 맞촤 놨네 나 시집올 때 울 어매보고 어매 나 백동 앞다지 한나 해주쑈 해도 우리 어매가 신청도 안 허고 대오리고리짝 허고 버들고리짝에다 혼수 담어 주시대 우리 시어마니가 미운소리 헐라먼 꼭 느그 친정은 딸 시집을 너머 솔하게 보냈재 그란단마시 나가 각심허고 내 딸 시집갈 적에 농 한나는 해줄란다했네

5

유재

굽

어

다

보는 맘

이
엉
잇
고
용
고
새
틀
고

날이 여간 푹하요이 한 사날 불나게 집안
설거졌등만 말래 밑 개집까장 보실보실하
요 손 안 시런 날 빨래 해놔사 설까지 큰 빨
래 없이 한갓져라

암만 푹해도 시한인디 손 안 시러꺼싱가
그라고 시낭께 고샅에 매끔헌 아그들은 자
네 새끼들이재

우리 친정 어매가 너머 씰고 따끄먼 복 털
어야고 지천을 해싼디 천성이라 못 고치것
어라 그랑께 밥 세 끄니를 못 채고 이라고
상갑써라

거 먼 소리 아직 다 안 살았네 그란디 어야
자네 집 지붕을 그렇게 이고 거년에는 안
했재 아매?

승만이 즈가배 소식이 없응께 작량을 못
허것어라

아까참에 솔가리 잔 긁어올라고 산에 갔는
디 내래다봉께 온 동네 지붕이 노오라니
아담헌디 자네 집만 껌하게 주저앙것승께
짠허고 우세시러서 허는 말이네

죄송허요 아짐

자네가 죄송헐 일은 아니시 승만이 아배가

138

나로 해서는 친정 조캐뻘인디 내 맘이 암
시랑토 안 허것능가 글고 지붕을 두 해 넘
도락 안 이스먼 여름에 아조 고약하단마시

글재 지붕 믹키먼 굼뱅이 끌코 그놈 묵을
라고 굴뚝새 참새 날아등께 비암도 올라오
고 그라요안

어따 성용네 듣기 조차난 소리를 머덜라고
입 밖에 냉가

음마 고거시 사실인디 어짜꺼시오 무시배
차 짐장은 지집들 짐장이고 이엉 잇고 용
고새 트는 일은 사나그들 짐장일시 허청허
청헌 저집 가장은 으디서 머슬 항고

놈들이 우리 집 욕 해 쌋지라이

욕은 뭔 욕 사방천지 떠돌다가 손에 막가
지 하나 없이 빈손 귀가허는 인사를 아적
에 나간 사램인듯 받아디리는 자네가 장허
시 이맛살 한본을 안 찡글시고

아이고 아짐 지가 먼 자객으로 찡글신다요
지집이 고우먼 집 나갈랍디여 지가 짜잔헝
께 그 사램이 맘을 못 잡어라

염병헌다 어째 그렁가 이 사람아 머시 자
네 탓이여 지가 역마살 잽해서 글재

이러트먼 한량이요 저러트먼 건달이재 그
래도 성님 승만네가 새끼들 느리보고 살
거시오

승만이가 여간 실거라 그놈이 즈거매 속
아꺼시오

그래사재 즈거매가 배 골아감서 놈 못 가
는 중핵교를 보낸디 즈가배같으먼 쓰가니

아짐 승만이 즈가배도 차건 사람이여라 근
디 으째 그라께라 소 믹애서 동네 쟁기질
허고 뒤야지 치고 맴생이 키고 새끼들허고
둘러앙거 따순 밥 나놔묵고 그라먼 더 바
랠 거시 없는디 그 사램은 그렁거시 허깨
비짓으로 보인다요

그놈은 중이나 되재 머다러 노무 손 데래
다 고상을 시기까! 그 죄를 으찌케 받을랑
고

어야 바람거튼 자네 서방님은 오먼 옹갑다
가먼 강갑다허고 살소 나는 마늘 시 통 까
는 동안 자네 집 지붕을 으찌케 이서주까
그 생각 조까 해봤네야

으째야쓰꼬 우리 성용이네 유재 굽어다보

는 맘이 하해 갔고만이 구장을 매깨도 되 것네

음마 성님 지가 무식쟁이라 면소 가서 에 헴은 못 헌디 입으로 허는 구장이사 얼매 든지 해불재애 짐장 허고 지붕 다 이고 나 먼 집집이 사나그들이 먼 헐 일 있소? 사내 키 잔 꼬고 화툿장 꼬누고 동각 마당에 윷 판 피는 것이 일인디 노니 염불헌다고 하 로 울력해서 손 대주먼 좋재

말은 고마운 말이네만 자네 서방님 불러내 것능가? 전에 승만이 아배허고 메가지 치 께 잡고 주먹다짐헌 일도 있는디?

오메 그렁 거슨 폴쎄 이저부렀재 성님 사 나그는 뒤아지나 한가지여라 맛난 것 해믹 임서 보비우 살살 허먼 말 듣게 되야 이써

아이고메 우솨 죽것네 자네 기술 솔찬허시 서방을 아조 뒤아지 맹그라서 대꼬 살그만 알아들으셨재라? 그라먼 모레 아적에 성 용이 아배가 성님네 아자씨 찾어뵈이고 승 만네 지붕 잔 이어줍시다 허고 말씀디리게 하요이?

141

옹기째 떨이해서 동네잔치

누구산내 살림이 그만저만 헝갑네 먼 맛난 내가 이라고 진동허까

아이고 성님, 밸 것 아니어라 비린 찌개 한나 끼랫소야

함지에 노물밥 비배묵는지 알었는디 그거시 아닌갑네

성님이랑 자네들 대접헐라고 핑계 댔재 밥상 채래났응께 언넝 들어가 앉소

워메워메 맛이야 새비야 운지리야 꼬막에 못챙이까지 있네 아야 성용네야 거그 상다리 잔 받쳐라 까딱허면 뿌서지겠다야

하레네 폴 뚜들고 채질허드만 저재를 은제 댕개왔능가?

송쿨네 아짐이 사불것 이고 왔습디다야 저제서 폴고 남었단디 물 좋기래 옴박지 차 떨어부렀어라

자네 덕에 호강하네이 석화가 손부닥만허시 송쿨네가 오늘은 식전 아침에 안 오고 느지막이 왔능갑네

자석들 돈 보낼 일 있어서 저녁 장 볼 사람들헌테 팔라고 하레 두 번 왔다요 언넝 잡

솨보쇼 성님

이, 맛국이 다네 달아 무시도 영판 맛나구만

무시가 덜 커서 칼자리만 헌디 맛은 들었
어라

송쿨네 아들이 서울서 대학 댕긴다드니
돈 쓸 일이 만한갑네이

작년에 가스나그도 대학 보냈다여 그 집
새끼들이 머리가 좋다네 윤수 동생허고
목여고 동창이랑만

고무신도 아까서 한 짝썩 신고 댕긴 사람
인디 두 번 걸음을 허네이

고거시 먼 말씀이요? 신을 한 짝만 신어라

짚신 신는 날은 두 짝을 다 신는디 고무신
은 달아진다고 올 때는 오른짝 신고 갈 때
왼짝 신고 그라고 댕긴다네 그 사람 훗날
이 좋을 거시네

그래사재라 자석 그늘에 호강헐 날이 올
테지라

근디 월출네야 사불것이 먼 말이랑가?

금메 우리 시어마니 때부터 사불것이락

항께 그랑갑다하네야

성님은 아신가요?

나도 몰르네 시집 옹께 사불것이라고 끼래묵은디 요라고 갖가지가 들어있는 것을 사불것이락 헝갑다 했재

지가 친정이 미암이라 고거슨 알어라 우리 집서 뒷산 넘어가면 동네 안으로 바다가 휘어 들온 데가 있어라 거그다 그물 땡개났다가 이튿날 건지면 요라고 밸것밸것이 다 들어와 있단 말이요 그놈을 옴박지에 부서가꼬 와서 사발로 퍼서 팡께 사불것이락 헝갑드만

아따 그 말이 그럴 듯 하시 오늘은 미암떡이 선생이시

칠십리 씨네마

성님 엊그저께 학교 운동장으로 굿 보러 갔는디 안 오셨습디다

재미지등가?

여간 재미집디다야 이참에 그 영화는 칠십리 씨네마라 더 멋지당만요

이? 칠십리 씨네마가 머시랑가? 그것이 영화 제목이여?

아니라 우리 용순 압씨 말로는 겁나게 크게 보여준다는 뜻이란디 칠십리까장 보인단 뜻잉가 머싱가

아야 화순떡아 아무리 근다고 칠십리까장 으찌케 보인다냐 선전할라고 후라이를 칭거시재

나도 알아야 칠십리까장 거식헌당거시 아니고 말하자먼 그런 뜻이다 그 말이재

너도 솔찬이 울었지야? 나는 음마나 울었능가 눈이 물케져분지 알았어야

그라고 슬프등가?

예 성님. 이북 인민군이 긍께 그거시 신영균인디 동란 때 혜진 각시 찾어 삼팔선을 넘어와불었어라 국군에 잽혀가꼬 막무가내 각시 찾어달랑거시여 근디 이미 각시

146

는 시집을 가부러써 그 각시가 엄앵란이어
라 근디 메한 인연이재 신영균이 잽해있는
부대으 대장 마느래가 되야부렀당게요

오메 연기 잘 하등거 누가 그 사람을 모르
신가요 노래가 나온디 나는 막 대고 울어
부렀당께 참말로 먼 운명의 장난이까이

우리 집이서는 그날 아조 난리가 나부렀
네 굿보러 나가먼 발모가지 분질러 논다
고 즈가부지가 저녁밥 묵음서 그라고 일
렀는디 성자란 년이 대샇으로 끼어 나갈
라다가 앵케부렀당께

오메 즈가배 악쓰재 딸년 펑펑 움서 악쓰
재 굿은 우리집이 대굿이었네

아자씨가 어째 그랬다요 가락하재마는 동
네 큰애기들 거지반 왔습디다

내가 지침만 잔 안 해도 데꼬 가꺼신디 어
둔 밤질에 가시나그 혼차 못 내보낸다는
거시재

앞집이 일출이도 있고 저 고샅에 삼심이
도 있는디 한데 뭉꺼 보내시재

그랄 일이 있니 무단히 그랑 거시 아니고
쩌번창께 망호리 챔빗집 아들이 울타리

넘어다봄서 성자야 성자야 부른 일 땀새 근당께

그 애기가 머달라고 성자를 찾았다요? 성자하고 좋아 지낸다요?

이 사람아 그 소리 마소 그것들이 동창 아닌가 즈그 동창들 공원서 만난다고 집집이 찾아댕긴갑드만 그날 아조 월출산이 뜨르르허게 즈가배한테 지천을 들었재 남녀가 유밸한디 뭔노무 동창회냐고 난리 났당께

아따 징하요이 근다고 아그들이 안 만난다요 엥가니 하세야재 글다가 보따리 싸들고 나 공장 가요 핀지 한 장 냉기고 열차 타불먼 어짤라고 그까이

아야 성용아 시끄라야 말이 씨 될라 성님 그라고 단속해싸니 출가럴 시케불재 그요 지가 중매 스까라?

니가 중매헌 디가 오직허것냐 성님네허고 혼인헐라먼 빤듯하니 중학도 나오고 면서기라도 해사재

내가 누구를 할라는지 니가 으찌케 알고 빙을 하냐 성용이네 너는 그 주댕이땜시

다 익은 밥도 못 얻어묵어야

존 말이네 자네가 비미니 존 데 대것능가 근디 즈가배가 그라고 양반 성짜를 찾아 싼께 나는 그것이 맘에 잔 안 맞네야

꼭 빽따구 있는 집안으로 혼인시긴다고 그라십디여?

성자 즈가배 집은 으디라도 내세울 양반 집안이디 우리 친정이 많이 지울재 처가가 장삿꾼이라 팽생 자존심이 상하다네 가세가 지울어 헐수할수없이 볼 것 없는 집으로 장개를 들었다 그것이재

으째야쓰까 성님이 그라고 속 아픈 말씀 듣고 사신지 몰랐소야 아자씨가 글믄 되가니 성님 아바니가 장사로 살림 이뤄서 아드님 높은 학교 갈치시고 딸들은 다 전답 뭉꺼서 시집 보냈닥하드만 여간 점잖코 부지런하고 경우 바른 어르신이라고 우리 시아바니가 늘 치사해싸십디다

그라재 성님네 친정이 양반은 아니재마는 양반 못잖애 오메 양반이 밸 것 있다요 빽다구가 양반이먼 멋해 행투가 양반이라사재

성자 즈가배는 그라고 생각 안 해 숙어진 집으로 장개 온 것이 한이네 수성사라도 출입허고 오먼 아바님이 가난해서 팽생 나를 활발치 못 허게 하셨네 근단마시

성님 아니헐 말로 아자씨가 거시기 쪼깐 거만하시당께 생전 우리네를 만내도 눈 아래로 보시고 안 그요 동네서 아자씨허고 너니나니허고 지내는 사램이 어디 있소? 읍내 사장에나 수성사에나 출입허시고 활 쏘는 양반들허고나 동무허시재

성님도 인자 나 잡술만치 잡샀응께 너머 그라고 기죽어 사시지 마쑈 요새 먼 반상이 있다요

그라까 요새는 반상이 없다고들 한디 나는 어째 팽생을 요라고 사까 나도 친정에서 클 적에는 내가 양반 아닌께 기가 죽는다 그런 생각이 없었네만 서방님이 나를 시퍼봉께 놈모르게 한시럽고 사는 재미가 덜하고 그라대

성님 지허고 도포떡허고 서이 공회당으로 영화 구갱 한번 가입시다 영화 봄스로 펑펑 울고 나먼 워너니 나서라

성용이 저것이 간혹 저라고 슬건 데가 있
어서 이빼 긍께 나가 동무를 헌당께 성님
그랍시다 너머 꿍꿍 참고 그라먼 가슴애
피 생개라

갈퀴나무 불로 끓인 라면

방바닥이 잘잘 끓네 콩 삶었능가?

예 성님 청국장 띄울라고 불 잔 땠드니 따땃하요야

아랫묵이 솔차니 도독허네 양이 만하게 보인디

손댄 짐에 콩노물도 앉혔어라

아이고 맛나것네 그나저나 새참 때 갈쿠나뭇짐 이고 산에서 낼오드만 은제 콩 삶아 앉히고 콩노물 놓고 그랬능가

노는 손에 그거시라도 해사재라 정님이 즈가부지가 빼아프게 패논 장작만 꼬시르고 살면 낯짝 없응께라

비단 겉은 맘이네. 서방님은 차도가 있으신가?

시난고난해라 날 맞촤 빙원 댕깅께 좋아질테지라 아가, 함마니 따라 모실 왔냐? 이 폽빵 잔 묵어바라 맛나것지야

정복이가 사왔등가? 비싼 것을 이리 다 내농가 한나만 주고 감장하소

아니라 월산댁이 성용네 데꼬 금방 올 거싱께 한나씩 맛보게 놔둘라요

어저께 정복이가 즈가부지 모시고 광주 가는 것 봤네. 애릴 때도 수말시렀는디 얌잔

152

하니 생긴 놈이 절도 어찌 그리 공손허게

헌당가 자네가 자석농사 잘 지었어

아이고 성님이 곱게 보싱께 그라지요. 그
래도 성님이 그라고 말씀하신께 지 맘이
좋기는 하요야 자석 없으먼 먼 여망이 있
것능가요

그라재 두 말 할 것이 없재

정님이네 우리 왔네 성님이 일등으로 오셨
소이

자네는 서방님 안 계시먼 잔 쉬재 멋할라
고 우리는 청햇능가

이, 우리가 성님 댁이서만 파고 산께 하로
는 성님도 모실 나오세야재 실은 정복이가
새로 나온 국수를 가꼬왓기래 나놔 묵어볼
라고 오락 했네야

이? 이것이 국수여? 네모진 국수도 있네이
시상에 이런 것도 있당가 요라고 작은 것
한나로 너이 묵는가?

아니어라 한나가 한 사람 목이라요 라멘이
란 것인디 정복이 각시가 요것 맹근 공장
을 댕게라 입맛 없을 때 묵으라고 열 개나
보냈구만요

다 나놔 믹애불먼 메느리가 서운타고 안
허까?
그 먼소리여 맛날수록 나놔묵어야 더 맛
나재 지달려 보소 언넝 끼래 오께이
양님장 맹글라먼 파 한 뿌리 따듬어주까?
아니여 양님이 속에 다 들었등만 여간 펜
리헌 국수여

홋집 남자

효녜네 홋집으로 먼 사나그가 한나 와서 살대

식구도 없이?

사나그 혼차 산디 페뱅쟁이라여 한삐짝 방을 혼차 쓰게 내줬능갑드만

거가 몇 년 전만 해도 다섯 집 살았는디 인자네허고 딸금네는 서울로 가불고 우서방네는 영산포로 가고 한 집배끼 안 살재이?

글고봉께 솔랑솔랑 대처로 나간 집이 솔찬허시 삼사년 내로 워너니 홀랑해졌네 동네가

페뱅쟁이 살면 나무허러 갈 적에 잔 피해댕개야것구만이 동네다 으째 뱅자를 들이셨다냐

효녜오빠허고 전부터 알고지낸 사람인갑드만 근디 영화 맹그는 글을 쓴다드라

활동사진 말이여? 그라믄 소설가여?

머신지는 몰것는디 그 사람이 쓴 글로 영화를 맹근다여

그것이 그것 아니여? 영화가 팽야 이야긴께

글랑가도 몰르재 성용아 작년 추석에 공회당서 옥이엄마라고 봤지야이

이 김지미 저구리 이삐다고 니허고 나허고 쪽물 디래서 저구리 해입었냐안

그 사람이 그 영화 이야기를 썼다여

참말로? 워메 겁나게 유명헌 사람인갑네 날 볼그면 낯이라도 보러 가끄나

나는 봤어야 키는 껀정헌디 낯바닥 희캐가꼬 안 갈캐줘도 페뱅쟁인지 알것드라

음마 도포떡 너 보통 아니다이 노무 사나그를 몰게 봤냐

빙 하네 머슬 몰게 봐야 동산서 나무 이고 온디 낯모를 사나그가 어슬렁거리기래 누군가허고 효녜 오빠헌테 물어봤재 너는 잔 무르막음날 소리 하지 마야

어야 영심이네, 아적나절에 꺼멍 찝차가
웃고샅에로 올라가든디 오늘 웃고샅에 외
지 손이 왔능가?

군청이서 왔습디다야

군청서 자네 집에 왔등가?

아니 우리 같은 집은 군청서 누구 찾어오
먼 무섭재 효심이 아바님 모시러 왔다가
잔 소란했어라 워메 그 영감님 목청 그라
고 크신지 오늘 첨 알았부렀소야 식전에
효심네 아짐이 오세가꼬 낼모레 지사 요
량 헐란디 오늘 손 잔 빌래주소 그라길래
밥 묵고 시암 앞이서 좋게 지까슴 시치고
있다가 뒤로 주저안질 뻔 했당께요

군청서 먼 안 존 소식 들고 왔가니? 그 영
감님이 누구보고 이리 치아스라 소리도
크게 안 하신디 먼 일이까이

아따 나는 먼 속인지는 모르재 세세히는
안 디케 그란디 젊은 사나그들 면전에 불
호령을 하시드랑께 봉당에서 발을 구름서
네 이놈드을 나헌테 누구를 뵈이러 가자
는 것이냐! 첩에 자석이 감히 누구를 오너
라 가너라 하느냐아 그라드란마시

이? 첩에 자석? 그거시 먼 소리까? 고런 기별을 으째 군청서 했으끄나

나도 모르재 효심네 아짐이 근본 말이 없재만 오늘은 밸적시럽게 입을 딱 봉해불드만

그 아짐 입이서 먼 말 듣기 어려와야 입 무겁기가 천황봉 웃질이여

긍께 말이여 일 헐 때도 시심사심 이약이약 험서 일을 덜먼 존디 그 성님은 말씸을 꼭 약에 쓸라고 내놓는 것맹키로 하신단 마시

첩에 자석 소리 나온 사연은 내가 잔 아네야 금정떡이? 으찌케 앙가?

그 영감님 본가가 우리 친정집서 멀잖게 살았어 긍게 그 댁이가 전에 솔차니 학문을 헌 댁이었능갑대 효심이 하나씨 밸호가 한양 냥반이여 한양 출입을 자조 해싸싱게

효심이 아바님도 글이 좋재 지사 지낼라먼 동네 사람들이 전수 지방 쓰러 안 강가

한양 가먼 나랏님이 세운 학교가 있당만

158

거그 현판에 효심이 하나씨 이름자도 올라있고 근다등만

보 한양 출입이 잦으먼 거그서 혼자 기시 것능가 작은집을 두셨재 작은 집이 아조 이삐고 신여성이였다네

오메 어쨔쓰끄나 그 집 마나님도 설운 시상 사셨건네이

본 마님도 대가 아씨였재마는 어짜것능가 잘난 서방님 두먼 근지 알아사재 한양 작은집 올래보내니라고 재산이 많이 끼껬능갑대 거서 보신 자석들은 다 높은 공부 허고 딸 한나는 일본 유학도 다녀왔다대 그랑께 효심이 아바님 배다른 동상들이재 그 딸이 존 신랑 얻어가고 호화롭게 산단디 쩌번창께 도지사가 되얐다여

와따메 도지사? 겁나부네이 하눌 겉은 사람이구만

어야 그라먼 시방 왕래를 허고 산당가? 효심네 성님은 통 내색 안 허든디 우리 같으먼 우리 시누양반이 도지사다허고 욀 것 아닝가

159

효심이 큰아부지네 자석들은 왕래를 허고 덕도 보고 긍갑대

도지사가 존 집안 아들이람서 속 몰르고 혼연해쓰까? 첩실이서 난 딸을 누가 메느리 삼을락 했것능가

아이고 성님 서울에 상께 누가 몰르재라 밥술이나 묵고 살고 인물 좋고 높은 공부 헌 큰애깅께 어느 양반 선비 가문이라고 허먼 근지 알재 끌텅을 파볼랍디여

아따 그것 보소이 먼데 중보다 가찬 데 머심이 낫단 말이 맷맛허게 허는 말이 아니랑께

그 소리는 또 먼 소리랑가요?

혼연은 속 아는 가찬 데 사램허고 허는 거시 좋다는 말이재 먼 데 중이 거룩허게 보여도 사람 속을 으찌케 알것능가 심청 사난 집 자석인지 속뱅있는 집 자석인지 구진 짓거리로 질이 난 집구석인지 껍딱만 보고는 모릉께 말이여

아따 그 말 참 각심헐 말이요이

글먼 오늘 온 사램이 효심 아바니 배다른

매제여?

아니꺼시네 내가 아까참에 군청 앞 비단집 앙것다가 들은 말이 있니

비단집을 어짠 일로 가셨소

이 우리 영감 허리끈 한나 접을란디 마땅헌 헝겊태기가 없길래 갔네 비단집 각시 말이 시방 들은께 효심이 아바니를 두고 헌 말이구만

아따 소문 빨르요이

소문이 본시 발도 날개도 없는 생물이여 비단집 조캐가 군청 다닌디 점심밥 묵으러 왔다가 시붕거랫재 도지사님이 군청 시찰 오셨는디 손우게 처남이 근처 사싱께 뵈일라고 찊차 보냈다가 군청 서기들 남박살을 맞고 왔다요 글드랑께

와따매 도지사님이 첩실 사우라고 소문이 나붓겄네 무단히 낯부닥 깨깨분 셈이네이

어짠당가 첩실 자석이 먼 죄여? 우리맹키로 흑 파묵고 사는 땅강아지들허고 대것능가 내가 생각키로는 효심이 아바님이 실수허싱 것 같네야

성용이 니 생각도 그냐? 수양산 그늘이 강

동 팔십리라고 안 허디야

그라재 배가 달라도 윤기가 있응게 시심 사심 왕래허다보면 덕 볼 일이 있재 당신 자석들 커나간디 워너니 존 일 아니여?

나허고 눈 빼기내기헐랑가? 그 영감님은 백 년을 살아도 그라고는 못 살 양반! 나 시집 와가꼬 앞뒷집서 사십년을 뵀는디 시종이 여일해부러 새복 니시면 기침하세 가꼬 글 읽는 음성 낭랑허고 다섯 시 되면 들에 일허러 나가시고 노무 지집헌테 눈 길 주는 뱁이 없재 긍께 나가 우리 새끼들 헌테 당부허네야 앞집 하나씨 뽄 받으면 으디 가도 실수 안 허고 굄받고 살 거시다 허고

효심이 엄니가 으디 모실을 댕기까 우슴 엣소리 헐 줄을 아까 심심헌 사람인디 영 감님까지 고라고 말강물이 떨어지게 분명 헌께 내우간에 재미는 없겄어이?

음마 이 사람아 내우간에 금실은 그렁 것 아니여

성님 그 말씸 옳은 말씸이요야 우리 성용 이 아배는 삼동네가 다 재미진 사램이라

고 이리 오쑈 저리 오쑈 한디 나는 한태기
도 재미가 없당께 나를 부러배락허는 창
아리빠진 예팬네들도 많애라 워메워메 미
치것어 집구석에 헐 일이 폴다불맹키 어
지러졌는디 고샅이서 이난소리나 퉁퉁 허
고 자빠졌으먼 소매통에 미크라불고 잡당
께

아야 근다고 서방을 소매통에 미클먼 찌
렁내나는 빨랫가심만 산데미여야

니 서방이먼 똥통에 미크꺼시다

복순이 큰오빠

복순이를 전주 즈그 오빠네로 보냈담서
자네 서운허겄네이

큰 아들헌테 참말로 미안허재 그것이 뭔
죄로 내 큰 자석 되야서 부모 노릇까장 한
께 안쓰라 죽겄네 아궁지에 불 때다 말고
눈물바람 허고 그라네야

자네 큰 아들이 참 성건지네 저도 살기 팍
팍헐 텐디 여동상을 중학 보낸다고 대처
로 데레가기가 보통 맘인가

말해 머던당가 포도시 소핵교 갈쳐서 스
무 살 되도락 나무허고 농사 짓고 머심 노
릇 다 시겠네 우리 열 식구 입에 들어가는
밥이 우리 큰아들 없이 나왔것능가

어야 구림떡 자네 앞이라서가 아니라 봉
냄이 같이 부지런허기가 쉽잖애 번떡허먼
들에 거름내고 번떡허먼 나뭇짐 지고 산
에서 내래오고 저 애기는 은제 자고 은제
밥 묵는다냐고 본 사람이먼 다 입을 다셌
니 자네 복이재

그것이 먼 복이다요 성님 어린 것이 빼가
녹게 일을 했어라 쩌번창께 복순이 델로
왔길래 내가 아무리 무지헌 어매라도 낯

부닥이 있재 너를 그 고상 시기고 인자 또
느그 댁헌티까지 못헐 일 시길 것이냐 그
렇께 시상에 그 슬건 놈이 머라간지 아요
머시라등가

엄니 지가 열야달 살 때 나뭇짐 지고 사립
을 들어선디 엄니가 복순이를 막 나서 방
에서 애기 울음소리가 나등만요 그 순간
에 오메 저 애기는 내 채금이네 울 어매가
어째 내 짐을 이라고 무겁게 한고 허는 불
효막심헌 생각을 했어라 그러니 저 애기
는 지가 데꼬 삼서 대학까장 갈칠라요 급
디다

오메오메 봉냄이 보짱이 대보짱이네이 가
스나그를 먼 대학이랑가 즈그도 살기가
애러우꺼신디

나도 그 말 했재 그란디 메느리까지 그라
드란마시 엄니 그것 아니요 대처에 가봉
께 인자는 여자도 배와야것습디다 애기씨
가 총명항께 잘 하꺼시요 그래싼께 참말
로 미안코 고맙고 먼 말을 허꺼싱가 즈그
새끼도 둘 아닝가

어째야쓰끄나 우리 동네 효자둥이 우애둥

이가 자네 아들이시 참말로 소문내고 뽄 받으락 헐 일이시

이 우리 새끼들 야달이가 지금으로 봐서 는 우애가 좋네 독아지에 양석이 비어가 도 그것들 마주보고 웃음 웃는 것 보면 흡 족허대

자네 서방님 생각나네 봉냄이가 시 살이 나 되앗쓰까 파라니 물 디린 뉘비 저구리 에다 놀놀헌 바지를 입해가꼬 손잡고 시 암까장 왔드랑께 물 짓든 각시들이 오메 봉냄이 이쁘다고 치사를 함께 좋아서 벙 실벙실 웃어 쌌드만

소나무

그적에는 시암 저 우게서부터 개천 타고 동구까장 조선 솔낭구가 줄하니 음마나 좋았능가이 그 아래로 아들 목말 태고 걸어가든 봉냄이 아배가 눈에 선하네

참말로 그 좋던 솔낭구 일본놈들이 쓸어갔재 미영귀축 몰아낼 배 맹근다고 솔낭구 공출하랄 적에 동네서 누가 썩 나서서 빌라고를 안 해가꼬 구장이 집집이 쫓아댕김서 불러내고 허던 생각 나시지라이

생각헐수록 아까 죽겄재 그 아람드리 나무 비어내든 날 저놈들 배락이나 안 맞을랑가 했는디 4년 만에 대동아전쟁 져불등가안

성님 그때 우리집 냥반이 밤에 잘람서 혼잣말같이 그랍디다 촌 동네 솔낭구까장 비어갈 정도로 물자가 부족허먼 불리헌 전쟁일 거신디 그라드란 말이요

도포떡 자네 서방님이 옳은 말 했네 쇠붙이라고 생긴 것은 수재저븜에 문고리까지 걷어가고 남자는 남자라고 잡어가고 큰애기는 큰애기라고 끄꼬가고 농사 조깐 지서노먼 공출로 뺏어가고 못 살 시상을 살

았네야

성님 우리도 일제 때 야마모도네 소작을 조깐 안 부쳤소 첨에는 반반 나놨는디 말이 반반이재 여물고 존 놈으로만 털고 챙개서 반 주고 종자 냉기고 나면 우리 것은 반의 반도 안 되야라 근디 나중에는 배급 준다고 공출을 걷어강께 이 시상이 은제까장 이라고 살랑고 했당게요

생앳집 우게 죽은 아그들 매달아서 바람치던 솔나무도 비어갔는디 그 나무로 맹근 배를 타고 싸와쓰까?

지는 해방 후에 이사를 와놔서 첨 들어본 말이요 애기들 죽으면 독아지에 너서 묻었다등만 솔나무에 초분도 했당가요?

독아지에 너서 묻기도 허고 어짠 집이서는 초분해서 육탈된 뒤에 묻기도 허고 그랬재 대고 묻어불기 서운항께 그랬능가 어짠가

그적에는 애기들이 흔허게 죽었어라이 설사만 해도 죽고 백일지침으로 죽고 호녁으로 죽고

개금바우 난초 하나씨

어야 저 벨 잔 보소 온 하늘에 짝 뿌래놔부렀네

갈 가차우먼 벨이 채더 말개지는 것 같지야 저 벨밭이 꽃밭이다

오늘이 처성께 한 여럴 있으면 더우도 수그러질 테재 양력 9월이먼 바람 끝 살랑해져분께 먼 일을 해도 할만 해

그라재 갈 되면 몸은 바뻐도 마음은 좋아 손만 부지런험사 사방 데 묵을 것 천지 아닌가

어야 북감재 잔 묵소 포실허니 맛날 때 묵어 자네들 믹일라고 부지런히 불 땠네 오늘로 감재 탁 털어불고 없네야

오메 성님 우리는 요라고 신선놀음한디 감재 찌니라고 욕보셨소 성님도 드시고 냇갈물 들어가 땀 잔 가세고 오시쑈

이 글라네 칠석날 나들이 대신 온 집안 뽈깡 뒤집어 소지 했드니 가실 해서 곡석 너놀 자리가 헌해졌네야 거그다 가실 해서 꽉꽉 채우기만 허면 되네

워메 성님 안부가 늦었소 아자씨 몸 잔 어

짜요? 성님이 하레도 집을 못 비실 정도로 불편하시요?

끄니 때 진지 차라줄 사람이 있으면 나 없어도 되야 중병 아닝께 간디 길자 그것들도 물 마지러 간당께 으짜꺼싱가 내가 말었재 포도시 걸음 걸어 칙간 출입은 허신 게 고맙네

칠석 때는 장구 매고 앞장 성께 신이 나불드만요 당산나무 밑서 춤추고 논디 성님 생각 납디다 덩실덩실 추시는 춤을 못 본께 서운했어라 성님 옛날 우리 각시 때 도갑사 꽃놀이 가서 쩌그 도포 당골래가 북치레허고 성님이 소리헐 때가 그립소야

이? 광복이 성님이 소리도 헐 줄 아신당가?

오메 자네는 그 후제 이사를 와서 모르것네이 아조 유명헌 선상님헌테 배와가꼬 구음을 겁나 잘 하신당께

에끼 이 사람아 머시 잘 해 나 애렀을 때 쩌 우게 종간네 훗집에 가야금을 그라고 잘 치는 선상님이 손지딸 데꼬 살았니 군

산서도 오고 목포 권반에서도 배울라는
사람들이 자조 드나들드만 그 냥반 손지
딸 이름이 난초여 나허고 동무였는디 우
리는 그때 머시머신가 모릉께 난초 하나
씨 난초 하나씨허고 불렀재 고샅에서 놀
고 있으먼 낯선 사람들이 오고 나도 따러
가서 그 냥반들 북 치고 소리허고 가야금
치고 허는 것 토방에서 보라꼬 앉어서 귀
동냥으로 배운 거시여 난초가 가야금 배
우고 소리 배울 때도 귀갱허재 그라먼 난
초 하나씨가 아가 너도 이리 와서 해볼라
냐 허시드라고 그짹에 몇 번 배운 것을 나
혼차 나무허러 댕김서 불르고 부샄에 불
땜서 불르고 냇갈이서 빨래험서 불르고
했응께 나는 부지깽이 소리여

글도 나는 성님이 구음 허시먼 그라고 슬
프드만 굽이굽이 어짜먼 그라고 내 대신
불러주는 거 가트까이
그라먼 다행이시 부지깽이 소리 또랑광댓
소리도 들어주는 사램이 있으면 더 흥이
나고 맛이 난다네
성님 그 가야금 선상님은 인자 돌아가셨
으께라?

그라재 폴세 돌아가셌재 나 아그 때도 쉰 살 가차운 영감님이셌당게 그란디 그 양반이 참말로 맹인이단마시 보통 치는 가야금이 아니여 아조 하레도 안 빼고 가야금을 치시대 용치에 개금바우 안 있능가 본래는 바우에 뭔 이름이 있었간디 그 냥반이 거그서 바우가 닳아지게 앙거서 가야금을 치싱께 동네 어르신들이 거그를 개금바우락 했재 요셋께 가야금이락 하재 그쩍에는 다 개금이락 했단마시

성님 동무 난초는 시방 으디 산다우?

몰르재 즈그 하나씨한테 아조 엄허게 배와가꼬 재주가 빼어나꺼시네 목포 권반으로 갔능가 서울로 갔능가 모르재 권반 소리 났응께 말인디 나도 울 아바니한테 몇 번 혼이 났네

머땀시라

하매 열 살이나 되얐을 거시네 난초 하나씨가 개금바우서 개금 치고 난초허고 나는 한삐짝에 앙거서 듣는디 용치 물이 을매나 말간가 물속으로 구름이 피고 바람도 지내가고 나무숲도 흘러가고 헝께 어

173

린 것들이 참말로 청승이재이 아조 넋놓고 있었당께 우리집서는 애기 없어졌다고 난리가 났등갑서 모심을 때라 징하게 바쁠 때 아닝가 탁주통 들려 들에 밥 내가야쓴디 암만 찾어도 종적이 매연해부렀재 우리 아바니가 저것이 권반 가서 기생이 될라드냐고 회차리로 종아리를 터지게 때림서 다시는 광대 집구석에 발걸음허지 말락하세서 그것으로 배움이 끄쳐부렀재

가사 우리 광복이네 성님이 기생이 되야써도 이름을 날랬을 거시여 인물 곱재 맵시 펜안허재 안 그냐 화순떡아

디지것네 디져 성용이 너는 우리 성님을 댈 데다 대라 잔

근디 영자네 팽상을 올해 새로 짰능가? 영판 반반하니 좋네이

예 성님 단오 때 시아재들이 와가꼬 짜주고 갔어라 영자 아배 간 뒤로는 시아재들이 그라고 와서 집을 살패주고 가요야

감재 묵고 배도 부릉께 성님 이 팽상 바우서 소리 한 자락 들려주시쑈

아이고 이 사람아 인자는 목청이 다 갈라

져 부렀어 벨이 들으까미 못 해

아따 성님 그래도 우리는 그 소리가 좋아라

알엇네 알었어 땀이 으치케 나서 살이 막
쏘네야 우선 시언한 물에 잔 들어갔다 올
라네

쪼깐네 이불 꼬매는 날은 내가 안 빠질라
고 맘을 묵내야

긍가? 자네가 나를 그라고 중허게 생각코
사네이

나만 글가니 성님도 안 빠지고 오신디

학산떡 말이 맞네 나도 쪼깐네 이불 시까
실 때 되았는디 어짠고 했단마시

어지께 곱게 따듬어 놨응께 시치기만 허
면 되야라

이, 유리같이 반지르허구만 호창 피고 이
불 안치세 실도 내노소

손 부끄런 실뭉치 또 내노요 실패에서 둘
둘 풀어쓰면 펜한디 성가시게 해디리네

거 먼 소린가 내가 이 실 땀시 자네 이불
꼬매러 꼭 나선디

글재라 성님 실 한 오래기 안 내불고 곱게
빼낫다 쓰는 것 아무나 못 해라 내가 쪼깐
네를 존갱해분당께요

아이고 지랄 나거튼 것을 먼 존갱 해야

가장 잃고 새끼 서이 데꼬 단심으로 살림
허기가 쉽지 안해 자네가 물동우 이고 적

삼 희끗허게 지나가먼 내 맴이 서늘헐 적
이 만하네

문수 즈가부지 생시에는 지가 천진난만허
게 살았는디 난리나고 갑작시럽게 가장
이 그르쳐분께 하늘이 딱 두 쪼각 난 것 맹
킵디다 치매폭 잡고 도는 삥아리새끼가튼
자석들을 어짜꼬 나 혼자 어짜꼬 무섬증
이 나먼 애먼 호맹이 들고 밭고랑을 긴디
풀을 맨지 눈물을 맨지 몰것대요 앞일이
무선께 실 한 오리 콩노물 대가리 한나도
내뿔 수가 없어라
안개 자욱헌 새복에 쪼깐네 아부지 논에
나가든 기척이 안 디킨께 고샅이 적적허
데 옆자리 비어진 자네야 말헐 것 없재
맻년만 고상하소 삼 년이먼 아들이 고등
과 졸업항께 그것이 가장 노릇 할 거시네

맹절 되야도 애기들 새옷을 못 해줬소 색
있는 헝겊태기 주서모탔다가 입든 옷에
소매 이서주고 호랑 달아주고 그랬는디
쪼깐이는 놈의 애기들이 부러뵀능갑써
인자사 말을 허등가

177

그거시 어른 속이여 어매 속 상헐깨비 말
은 안해 쩌번창께 친정 오라바니 오세가
꼬 가용돈 잔 주시등만 마침 쪼깐이 생일
가찹기래 장에 가서 브라우스허고 주름치
매허고 꽃고무신 사다줬네 을매나 존가
가이내 낯이 벙싯벙싯 꽃송이 되야불대
잘 했네 좋고말고

근디 밤중에 자꼬 일어나 봉창을 내다보
드란마시 아가 소매 매랍냐 물응께 엄니
으째 이라고 날이 안 볼근다요 언넝 학교
가야쓴디 밤이 겁나게 기네이 글드랑께
오메 어짜꼬 이삐고 짠허고 근다
옷 보듬고 자는 애기 따둑따둑 해준디 즈
가부지 갈 적에 시 살 묵었든 것을 맹절 때
치매저구리 하나 못해 입힌 일이 죄시럽
고 글대 그것이 즈가부지를 질로 탁했어

어야 월출네 거그 귀퉁이 오른짝으로 접
어사써
오메 내가 야그 듣니라 넋 빠졌네

178

발문

당신의 말이

이렇게

시

가

되었습니다

서효인 시인

당신의 말이 이렇게 시가 되었습니다

서효인

할머니, 오늘은 이상한 글을 읽었습니다. 아니, 시를 읽었습니다. 아니, 말을 읽었습니다. 아니 그것도 아니고, 그것을 뭐라 할까요. 이야기라고 할까요. 육성이라고 할까요. 그런 걸 읽었습니다. 그런 것을 들었습니다. 서남 방언이라고 합니다. 저도 서남 출신이지요. 목포에서 태어나 광주에서 자랐으니 전라도에서도 서남쪽 사람이라고 할 수 있습니다. 할머니, 할머니도 서남 사람이지요. 진도에서 태어나 무안으로 혼인해 와 목포와 광주 송정에서 살다가 나주에서 가셨으니 서남 사람 맞지요. 서남 사람이었지요.

떠난 사람에게는 이렇게 과거형을 붙이는 게 알맞습니다. 할머니는 지금은 없고, 그때는 있었는데 그때 지금

못한 무언가를 해드릴걸, 하는 늦은 생각은 딱히 알맞지 않습니다. 코로나 시국에 추석 연휴에 할머니는 가시었고, 저는 애들 데리고 막히는 서해안고속도로에서 겨우 휴게소에 들른 참이었어요. 아이 간식으로 핫도그를 사주려 줄을 서 있었는데, 고모에게 전화가 오더라고요. 할머니 가셨다고. 그 말을 듣고 핫도그를 마저 사서 케첩까지 뿌렸습니다 제가. 오래 기다린 줄의 끄트머리였거든요. 와중에 케첩을 둘레둘레 골고루 뿌리고 있는 것이 웃긴지 슬픈지 괴이쩍은지 한탄스러운지 어깨가 들썩거리는데 빵가루를 입에 묻힌 아이가 왜 그러냐고 묻습니다. 우물거리면서, 아니 울면서, 다시 우물거리면서 왕할머니가 갔다고 그랬습니다. 차는 막히고 계속 막히고 끝없이 막히고 경기 북부에서 전라도 서남까지 가는 길은 멀고 또 멀어서 가는 길 내내 겉으로는 우물거리고 안으로는 울어야만 했습니다.

할머니 오늘은 정말 기이한 시집을 읽었다니까요. 코로나 시국에 할머니 요양원 들어가고는 2년을 목소리도 제대로 못 들었는데, 오늘 읽은 책에서 겨우 2년 전이 아니고 20년 전, 아니 30년 전 할머니 목소리가 들리더라고요. 왕할머니가 여럿 나오는 책이었는데, 이게 시가됩니다. 월출산 아래 한동네 사는 사람들이 그저 하는 말인데 이게 시가 됩니다. 죽음보다 깊은 비극을 겪고, 삶보다 넓은 희극을 사는 이들의 옛날이야기인데 그것들이 모두 시가 됩니다. 그렇다면 예닐곱 살 때 할머니랑 같이 살던 적에 들었던 당신 말도 모두 시였을까요. 생각해보니 할머니 영암에서 나는 무화과를 좋아했었던가, 아닌가 어린 내가 좋아했었나, 할머니가 맨손으로 영암에서 온 무화과 껍질을 까주면 넙죽넙죽 낼름낼름 잘 받아먹었는데, 오늘 만난 할머니들이 영암의 왕할머니들이에요. 할머니들 이야기를 들으니 우리 할머니 이야기도 시가 아니기는 어렵겠다 싶었지요. 이게 시가 되더라고요. 서남 방언이. 할머니 말이. 내가 잊어버린 잃어버린 그 말들이 모두 다 그럽디다. 죽은 줄 알았던 말들이 지금껏 다 살아서는 모조리 시가 되었더라고요. 〈그라시재라〉 이야기입니다.

할무니 그란디 왜 달은 안 늘그고 계속 그때랑 지금이랑 똑 같어요?
금메마다 달은 안 늘근디 어찌 사람은 이라고 못쓰게 되끄나이
할무니 못 쓰게 안 되았어요 달 같이 이뻐요 참말로요

〈그라시재라〉에는 달처럼 예쁜 사람들이 나옵니다. 시에서는 주로 '무슨 무슨 떡'이라고 불려요. 떡은 댁으로 바꿔 부르면 됩니다. 공산떡은 공산댁으로, 화순떡은 화

순댁으로, 월산떡은 월산댁인 것이지요. 댁은 지역을 뜻하는 명사 뒤에 붙어 지금의 고장으로 시집온 여성의 명칭으로 부릅니다. 이름 대신 고향이 명칭이 되는 셈인데, 할머니는 아마 진도떡으로 불렸을 듯합니다. 대체로 서남 여느 고장으로 불리는 이들이 대부분이지만 멀게는 보성이나 전주도 있었던 듯합니다.

〈그라시재라〉는 이름 대신 지명으로 불리거나 그도 아닌 성용네처럼 아들의 이름으로 대신 불리는 이들이 화자입니다. 말하는 사람이라는 의미지요. 이 책에 실린 시에서만큼은 말하는 자가 곧 시인이고, 말하는 자가 종래 주인공입니다. 삶에서의 화자가 곧 시적 화자가 되는데, 시인은 말하는 자를 관찰하고 묘사하는 대신 그들의 말을 대신 받아씁니다. 많은 '떡'들이 시인의 몸을 통과해간 듯, 아니 시인이 그들의 몸에 든 듯 말들이 폭발하는 것이지요. 폭발하는 말들이 만들어내는 여러 폭의 그림이기도 합니다. 받아쓴 말들이 만드는 카니발이라고 해도 틀린 말은 아닙니다.

시인이 그들을 예뻐하지 않는다면 불가능한 일입니다. 〈그라시재라〉의 떡들은 육이오전쟁을 겪고 양민학살을 목도하고 거기서 살붙이를 잃기도 하고, 제 목숨 겨우 건지기도 한 사람들이고, 따지자면 할머니의 어머니나 큰고모나 작은할머니뻘인데요. 그들에게도 젊은 시절이 있었을라나요. 할머니는 언제나 할머니인 것만 같은데. 제게도 할머니는 그랬습니다. 내가 태어나 할머니가 된 것이겠지만은, 할머니는 할머니가 아닌 시절이 없을 것만 같았다니까요. 〈달 같은 할머니〉가 시집의 처음에 온 것은 참으로 절묘하지요. 아이가 묻습니다. 할머니 어렸을 때에도 달이 지금처럼 컸느냐고. 할머니에게도 아버지가 있느냐고. 할머니도 나랑 똑같았느냐고. 당연히 할머니에게도 아버지가 있습니다. 할머니에게도 손녀처럼 열 살, 열한 살 시절이 있었겠지요. 살도 희고 탄탄했을 것입니다. 달은 여전한데 소녀는 할머니가 되었습니다. 할머니가 되는 동안 별의별 일을 다 겪었겠지요. 어린 손자에게 그런 희비를 모두 말해줄 수는 없을 터, 할머니는 당신더러 못 쓰게 되어버렸다고 말합니다.

손녀의 대답은 꼭 조정 시인의 대답처럼 들리기도 합니다. 할머니는 못 쓰게 안 되었다고요. 달 같이 이쁘다고요. 〈그라시재라〉는 처음부터 끝까지 온통, 할머니 예쁘다는 그 말이 거짓말이 아닌 참말임을 증명하는 과정이 됩니다. 별일이 있을 때마다 서로를 찾아 옛일을 회상하고 오늘날을 추렴하고 내일을 낙관하는 그들을 예쁘다고 하지 않으면 무엇이 예쁠까요. 그들은 서로가 긴밀하게 알아듣는 말투의 공동체로 엮이었고, 그 이유로 그들은 현대사의 굴곡을 함께 겪고 내 이웃의 사연과 사정에 귀 기울입니다. 곁의 사람의 말을 다 듣고 이렇게 말합니다. 그라시재라. 그러믄요, 그럴밖에요, 하는 뜻이지만, 꼭 그라시재라 하고 발음해야 통하는 그 말.

그랑께 성님 내가 죽어도 낯 들고 그 애기를 못 만낼 거시요 엄니 총소리 탕 나먼 나 한 번만 돌아봐주소 소리가 인자는 총소리보다 더 무서와라 성님 그라고도 내가 이 목구녀게 밥 밀어 넣고 사요

이 비극을 감히 형언할 수 있겠습니까. 무고한 주민이 살해되었다. 마을 사람이 학살되었다. 이곳이 양민학살의 현장이다. 피해자 숫자를 헤아리기 어렵게 많다. 현대사의 참혹한 현장이다…… 이와 같은 문장이 그들의 비극을 설명할 수 있겠습니까. 없습니다. 단언컨대 없습니다. 무미건조한 문장으로 담기에는 사태가 개인마다 다른 모양의 상처를 남깁니다. 각자 다른 소리의 울음이 가슴속에 남고 각자 다른 장면의 필름이 머릿속에 각인됩니다.

숱하게 많은 젊은이가 좌익으로 몰려 참변을 당했고, 한 마을에 살던 사람들이 가해자와 피해자로 나뉘어 죽고 죽였고, 무심코 행한 일이나 작은 선의가 죽어 마땅한 혐의가 되었습니다. 월출산 아래의 작은 마을도 비극의 폭풍을 피하지는 못했고, 누구는 죽은 동생의 찢긴 살과 내장을 수습해야 했고, 누구는 죽어가는 딸아이의 마지막 모습을 공포에 겨워 보지 못했습니다. 누구는 바람만 불면 어린 나이에 왜 죽었는지 모르고 죽은 아들이 생각나고 누구는 백일도 되기 전에 잃어버린 아이가 생각나고 누구는 천운으로 목숨을 건진 묘한 우연을 떠올립니다.

모두 다른 목소리가 한데 모여 거대한 합창이 됩니다. 이 합창은 가슴을 찢으며 부르는 장송곡입니다. 낮은 소리로 길게 읊조리는 곡소리이기도 합니다. 요즘 유행하는 힙합이라 해도 이상하지 않을 겁니다. 당신의 사연을 당신이 직접 부르는 노래는 목소리에 힘이 있기 마련입니다. 이를 당사자성이란 말로 대체하기도 합니다. 전라도 서남쪽의 비극은 서남쪽의 말로 비로소 당사자성을 획득합니다. 죽음보다 더한 고통의 시간을 통과해낸 사람들이 여기에 있습니다. 그들은 목구멍에 밥을 넣는 게 요사스럽게 느껴지고, 집에는 꼭 숨을 공간이 있어야 한다 여깁니다. 〈그라시재라〉는 그렇게 살아남은 자들의 노래이자 울음이 됩니다. 울지 말라 서로를 다독이는 묵직한 응원이기도 합니다.

2부의 시 중에 보기 드물에 목숨을 부지한 사연이 있습니다. 그는 소학교 선생이었지요. 선생이 부족하니 급사가 1학년 담임도 맡았던 모양입니다. 그 급사 이름이 송자고요. 졸업식 때 사진을 찍으려 송자가 나오니 동료들이 급사가 졸업식에 낀다고 비아냥댔다고 하네요. 그가 대차게 나서 아이들 가르쳤으면 선생이지 누가 선생이냐 바른 소리를 했답니다. 그 송자가 난리 통에 실력자의 아내가 되어, 그를 구해준 것이지요. 어떤 선의는 또 다른 선의로 돌아오기도 할 겁니다. 그러기 어려웠던 시절에도, 선함을 향한 의지는 그들에게 분명했을 테니까요. 선한 의지의 당사자 또한 그들이었던 것입니다.

아니여 못 간다고 했당께 서울이 으디라고 내가 거그를 가 천지에 아는 사람 한나 없는 디서 머슬 보라꼬 살것능가 오메오메 농사짓기 심 안 들어야 나는 나 살든 디서 살란다 그랬네

할머니는 글을 몰랐지요. 초등학생이던 저에게 글을 가르쳐달라 했던 날이 생각납니다. 제가 무얼 가르칠 수 있었겠어요. 글 조금 안다고 할머니 앞에서 무장 까불어 대기만 했지요. 늦기 전에 노인 학교 같은 데를 찾아 모셨어야 했는데, 그도 후회됩니다. 〈그라시재라〉에도 뒤늦게 글을 배우는 할머니가 나옵니다. 선생님께 닭이라는 글자를 쓰는 법을 배워 닭을 닥으로 알고 있는 친구에게 귀여운 유세를 부리지요. 그런데 닭이라는 글자를 써먹을 데가 없습니다. 고민하다 하나 생각한 것이 닭장에 문패를 달아주는 것이죠. 그렇게 공산댁네 닭은 문패를 달 만큼 동네에서 출세한 닭이 되어버립니다.

그들이 글만 익히는 게 아니지요. 세상은 점점 변하고 있습니다. 월출네 며느리가 딸아이를 낳았다고 해요. 며느리가 시아버지에게 부탁합니다. 장날에 읍내에 가서 아이 이름을 받아달라고 말이죠. 월출네가 딱 잡아 쏩니다. 무슨 여자애 이름을 돈까지 남에게 쥐여주면서 정하냐고 말이죠. 할머니도 그랬잖아요. 동생이 말하길 할머니는 항상 저인 장남 위주였다고 해요. 동생은 1980년대에 태어난 여자애인데도 그랬으니, 그 시절은 오죽했겠나요. 며느리가 월출네 반응에 속이 상해 토라졌는데 그걸 하소연하는 월출네를 다른 이들이 타박합니다. 딸이라고 이름 우습게 짓지 말라고요. 그리고 이런 이야기를 해줍니다. 어느 영감님네에서 첫째 딸은 살림 밑천이

니 제일이, 둘째는 연속으로 딸이라고 열이, 셋째가 또 딸이라 묘해서 묘삼이, 넷째도 딸이라 아뿔싸 또 딸이야 하며 아사, 다섯째가 또 딸이라 다섯 번 괴이해서 괴오, 여섯째는 분해서 분육이, 일곱째는 이제 망조라고 망칠, 여덟째는 이제 웃음만 나온다고 소팔…… 우스운 이야기로 한바탕 웃고 나서는 이제 딸이라고 함부로 이름 지어서는 안 된다는 결론을 다행히 내립니다. 그 시절에 한참 앞서간 할머니들입니다.

예쁜 신식 할머니들은 이제 영화도 봅니다. 칠십 리 바깥에서도 보일 만큼 화면이 크다고 해서 칠십리 시네마라고 한다네요. 공회당에서 하는 영화에는 눈물 나는 스토리도 있고, 스펙타클한 전쟁 장면도 나오고, 잘생기고 아름다운 배우도 등장할 것입니다…… 그런 것들이 별 수일까요. 이들의 삶이 한 편의 영화이기도 하고, 영화보다 진득한 시가 되는데요. 쇠퇴한 양반집으로 전답을 들고 시집왔지만, 영화를 상영하고 반상의 구분이 없어진 날까지 눈치를 보는 삶이 있습니다. 동네에 누구는 도지사가 되어 나타난 배다른 형제를 첩의 자식이라고 하여 알은체도 안 한다고 합니다. 이제 여자도 배워야 한다며 딸을 전주로 유학을 보내기도 합니다. 가랍집에 주저앉은 영화 하는 총각이 만든 이야기보다도 더 실한

이야기가 〈그라시재라〉에는 있습니다. 그 이야기는 무엇보다 재미있습니다. 코끝이 찡하기도 하거니와 가끔은 웃음보가 터집니다. 그래서 그들도 거기, 월출산 아래에 사는 게 좋았겠죠. 이렇게 말한 걸 보니 확실합니다. "그래도 나는 사는 것이 좋네", "아먼 잘 살아사재 죽어블면 어짜도 저짜도 못한디 그 고비 냉겼응께 존 시상도 봐사재"

———

〈그라시재라〉를 따라 읽다 보면 나도 모르게 고향 말을 꽤 진득하게 쓰고 있기도 합니다. 사투리를 대체로 잊은 줄 알았는데, 몸속 어딘가를 떠돌고 있던 모양이지요. 기침처럼 나도 모르게 나오고, 기억처럼 꽤 오래 떠나지 않습니다. 이 말을 제가 누구에게 배운 걸까요. 그야 물론 할머니입니다. 할머니 손에서 유년을 보냈으니 제 몸 깊숙한 전라도 서남쪽 말의 원형은 당신의 것이겠지요. 조정 시인은 〈그라시재라〉의 언어를 속에서 들리는 대로 썼다고 합니다. 몸속의 언어를 끄집어낸 작업은 때로는 토악질처럼 고약하고 때로는 사자후처럼 시원했을 듯합니다. 시인은 그 괴로움과 후련함에 줄 하나를 달고 실로 팽팽하게 당겼습니다. 그것을 언어의 힘이라고 해도 될 것입니다. 힘이 있는 언어는 곧 시가 됩니다. 그래서 〈그라시재라〉의 사투리는 사투리가 아닙니다. 시입니다.

할머니, 이제 와 하등 쓸모없는 말이지만, 할머니의 말을 조금이라도 들을 수 있다면 그걸 시로 쓸 수도 있을 것 같은데, 많이 늦었습니다. 늦었지만 그래도 다행입니다. 조정 시인이 〈그라시재라〉에서 시로 이미 썼으니 말이지요. 〈그라시재라〉의 발문을 감히 맡은 핑계로 할머니께 시집을 소개하는 편지를 썼습니다. 할머니의 말을 시로 옮기는 데에는 늦었으나, 대신 편지라도 썼으니 이 또한 다행입니다. 다행의 연속이라니 행운이 많습니다. 전라도 서남에서 태어난 것도 행운이고 할머니의 손자인 것도 행운이고 〈그라시재라〉의 말을 어렴풋이 알아듣는 것도 행운입니다. 그리하여 더욱 다행입니다.

전라도 말로 발문을 쓰진 못했습니다. 서울에 와 듣는 전라도 말은 듣기 무척 고약합니다. 거의 엉터리일 뿐더러 지역과 계급을 나누고 차별하는 용도로 쓰이는 게 아닐까 의심이 들 정도입니다. 서울에 와 직장을 다니며 제 말을 버리려 애썼습니다. 딸꾹질 같은 억양이야 숨길 수 없더라도, 내처 물을 마시며 다스리는 딸꾹질처럼 그마저 없애려 했습니다. 이 글도 그렇게 쓰고 있는지도 모릅니다. 없어지는 말은 없어지는 대로 두고, 단일하고 거대한 말의 세계로 진입하려고 했던 것입니다. 〈그라시재라〉는 꼭 그러하지 않아도 된다고 말합니다. 네가 왜 그러는지 안다고도 말합니다. 등허리를 토닥여줍니다. 그래서 〈그라시재라〉는 다정한 할머니 같습니다. 둥그런 달 같습니다. 예쁜 사람들과 같습니다. 고향 같습니다. 그래서 눈물이 나고 웃음이 납니다. 그 말이 살아 있기 때문입니다. 그 말이 살아 있어 저도 살아 있음을 느낍니다.

긍께요 함마니, 거그서 솔하니 지내지라? 나는 인자 밸적시런 일 업신께 걱정 말랑께요. 어딘지 가찹지는 않을 거지만 할아씨랑 이약이약 계시면 난중에라도 뵐 날이 있겄지라. 그라시재라. 암만 그라재요.

전라도 서남에서 살다 가신, 할머니께.
경기도 파주에서 손자 드림.

편집 후기

편집자들은

어떤 마음으로

이 책을
편
집
했을까?

마담쿠, 코디정

마담쿠: 서효인 시인의 발문을 읽으니 너무 좋네요. 독자에게 편집후기를 전하려는 우리 마음이 한결 가벼워졌습니다. 시집과 시편을 함부로 해설하지 않기로 해요. 이 시집을 한 권으로 책으로 만들려고 노력한 우리 편집자의 사적인 마음만 전하겠습니다.

코디정: 아, 이 시집의 첫 번째 독자이자 편집자로서 제 마음을 어떻게 독자 여러분께 표현할지 모르겠어요. 표현을 잘해 봤자, 바로 앞에 있는 서효인 시인의 발문에 미치지 못하겠지요. 하지만 평생 서울말만 쓴 사람으로서 어떻게든 마음을 표현하고 싶어요. 편집자로서도요.

마담쿠: 서울말 이야기가 나왔으니 이 책의 문턱에 대해서도 말해야겠네요. 보통 외국어나 전문 용어로 문턱이 생기기 마련인데, 이 시집은 특이하게도 사투리로 문턱이 생깁니다. 전라도 서남 방언. 저도 전라남도 광주에서 태어났는데 꽤 많은 단어들이 낯설더라고요. 사투리 안에도 나이가 있고 지역이 있구나 싶었습니다.

코디정: 원고를 처음 읽었을 때는 무슨 말인지 잘 모르겠더라고요. 정서는 전해지는데 의미가 전해지지 않으니까 애매한 자세였어요. 그런데 웬걸 점점 자세가 달라지

더니 완전 무릎 꿇는 마음이 되더라고요.

마담쿠: 실제로?

코디정: 아니 제 마음속에서요.

마담쿠: 처음에는 육이오 전쟁 당시 서남 전라도 지역의 피해에 관한 시인 줄 알았어요. 사람이 죽는 얘기는 감당하기 어렵고 우리네 역사가 이토록 잔인한 역사였음을 다시금 생각하게 되니 고통스러웠어요. 그래 봤자 역사의 현장에 있던 사람들에 비하면 종잇날에 손가락 베이는 정도에 불과하죠. 그런데 그런 자욱한 시편만 있었던 게 아니었어요. 그 시절을 온몸으로 견뎌 낸 여성이 보이는 거예요. 이 시가 '서사시'인 까닭은 이웃이 이웃을 죽여야 했던 그 참혹한 역사를 시로 기록했기 때문이 아니라, 그 한 명 한 명의 여성들의 삶이 시로 전승되었기 때문인 것 같아요. 묘하게도 아름다웠어요. 이 아름다움은 도대체 어디에서 나오는 것일까요?

코디정: 독자들도 이 시집에서 아름다움을 느낄 수 있을지 궁금해요. 하지만 우리가 어떻게 이 시집을 편집하게 됐는지부터 이야기하기로 해요. 처음 시인이 이 시집 원

고를 제게 보여줬을 때, '이야, 이런 시집은 시를 전문적으로 출판하는 대형 출판사에서 펴내야 해.'라고 생각했어요. 모든 책에는 수명이 있고, 아무래도 시 전문 출판사가 시집의 수명을 늘려 주는 데 유리할 테니까요. 우리처럼 작은 출판사보다는 낫겠지 했습니다. 그래서 시인에게는 그다지 쓸모없는 조언을 덧붙이면서 원고에 대한 소감을 보낸 후 응원하기만 했습니다. 그런데 대형 출판사 편집자들이 이 원고의 진면목을 못 알아 본 거예요. 입 밖으로 험한 소리가 나오더군요. 그 덕분에 우리가 이 시집을 맡게 됐습니다. 영광이자 명예이지요.

마담쿠: 그리고 이 시집을 어떻게 편집하는 게 좋을까, 이것이 우리에게 숙제로 주어졌어요.

코디정: 일단 저는 서울에서 태어났고 경기도에서 자랐습니다. 전라도 방언을 모릅니다. 기껏해야 몇몇 단어만 아는 수준에 불과했어요. 시편을 하나씩 읽는데 시간이 많이 걸리더라고요. 무슨 의미인지는 알 것 같은데 정확히는 모르겠는……. 그 지역의 사투리가 많이 녹아든 조정래 선생의 〈태백산맥〉도 이 정도는 아니었다는 느낌이 들었어요. '느자구', '귄', '기언치', '느리보다', '당골래', '대처나', '더투다', '보타지다', '비미니', '뿌사

리', '소낭구', '수말스럽다', '시난 소리', '싸목싸목', '여럼스럽', '여우다', '이약이약', '지까심', '지앙스럽다', '태끼레지다', '채더', '하나씨', '항꾼에', '홋집' 같은 단어는 처음 접하는 낱말이었어요. 상당수는 문맥으로 알 수 있는 단어가 아니었습니다. 이런 말들이 시집에 수두룩했습니다. 모르는 단어를 하나씩 찾으면서 시를 읽어갔어요. 당황스럽게도 사전에 없는 낱말도 많더군요. 전라도말 사전을 급히 입수해서 찾아보는데도 미묘하게 표기가 조금씩 다르더라고요. 없는 단어도 적지 않아서 의미를 좇아 이곳저곳 웹 사이트를 방문해 보기도 했습니다. 이렇게 노력해도 모르겠는 단어는 저자에게 직접 물어보면서 메모했습니다.

마담쿠: 서울 사람들도 이런 낯선 언어 체험을 할 필요가 있어요. (웃음) 그동안 표준어의 특권을 누려 왔잖아요? 지역 언어를 몰라도 아쉬울 게 없이 편리하게 언어 생활을 해 왔으니까요. 하지만 방언에 익숙한 전라도 사람들은 이 시집의 언어를 접하자마자 반가우실 거예요. '우리네 말'이잖아 하면서요. 다른 지역 방언도 마찬가지겠지만, 서남 전라도 말도 이제 거의 잊힌 게 아닌가 하는 걱정이 들어요. 그래서 이런 시집의 출간이 퍽 의미있게 다가오고요. 그렇지만 또 한편으로는 독자들의 독서가

걱정되기도 합니다. 편집자의 걱정이지요.

코디정: 그래도 조정 시인이 문턱을 낮춰줬어요. 일단 시편의 제목은 '친절하게도' 모두 표준말이잖아요?. 사투리를 몰라도 무슨 얘기를 하려는 것인지 직감적으로 알 수 있으니까요. 사투리조차 우리 말이기도 하고요. 그런데 저는 독자 걱정보다는 언어 걱정을 좀 했어요. 워낙 표준말이 일상화돼서 지역 언어가 얼마큼 살아있는지, 여전히 반세기 전과 같은지, 점점 어휘를 잃어가고 있는 것은 아닌지 하는 생각이 들었던 겁니다. 그래서 이 시집을 펴내는 게 출판인으로서 잘한 일이라는 생각도 들어요. 물론 '서울 사람' 편집자도 이렇게 고생했으니 독자들도 쉽지 않을 거라는 생각은 했습니다. 그런데 저의 '편집본능'일까요, 편집자가 시편 안으로 함부로 들어가서는 절대 안 되겠더라고요. 시편 하나하나가 이미 완성되어 있고, 한 편 한 편이 아름다웠어요. 이 아름다움을 훼손하고 싶지 않았어요. 심지어 주석이나 해설을 달고 싶지도 않았어요. 보세요. 언어가 이렇게나 자유로워요. 마치 중력이 없는 세계를 체험하는 기분이에요. 이렇게나 자유로운 서남 전라도 말에 표준말이 함부로 개입하면 쓸데없는 중력이 생길 것 같았어요.

마담쿠: 사실 〈그라시재라〉를 처음 편집한 후 경이롭다는 감탄을 많이 하셨잖아요? 제가 옆에서 여러 번 들었거든요.

코디정: 맞습니다. 단어 그대로 경이로웠습니다. 단어의 의미를 하나씩 알게 될 때마다 보이지 않던 게 보이는 겁니다. 이런 심정을 어떻게 독자에게 전할 수 있을까요? 짙은 적란운이 사라진 다음에 드러나는 맑은 하늘을 보는 기분이랄까요. 왕가의 계곡에 묻혀 있던 투탕카멘의 무덤을 발굴한 고고학자 흥분이랄까요. 아니면 적군의 암호를 풀어낸 해독 요원의 기쁨일까요. 방언에 익숙해질수록 각각의 시편이 펼쳐내는 매혹적인 아름다움이 눈부시게 드러나는 거예요. 그러다가 소위 제가 아는 서울 말씨, 표준말에 대한 의문이 들었어요. 표준말은 방언에 관해서는 권세를 쥔 언어입니다. 검열을 통과하고 경쟁을 이긴 언어, 국립국어원의 권위와 방송매체의 영향력을 등에 업은 언어. 그렇게 표준말은 한국어를 차지했습니다. 그런데 편집하면서 자꾸 이런 생각이 드는 거예요. 얻은 것은 무엇이고, 잃은 것은 또 무엇일까? 〈그라시재라〉에 등장하는 언어는 고작 60년 전의 방언입니다. 그 당시 그 지역에서 가장 살아있는 언어였음에도 저는 정말 낯선 말이었어요. 방언을 하나씩 조사하

면서 아주 신기한 점을 발견했어요. 분명히 서남 전라도 지역에서 사용하는 방언이었는데 조사해 보니 다른 지역에서도 사용하는 거예요. 이를테면 숭어의 방언인 '숭에'의 경우 서남 방언일 뿐더러 평안도와 함경남도 방언으로 나옵니다. 기시다(계시다), 느그(너희), 끼리다(끓이다) 등등의 단어는 전라도뿐 아니라 경상도 방언이기도 하고요. 이런 식의 단어가 굉장히 많았어요. 우리의 언어가 저마다 지역 언어의 특색을 갖고 있기는 했지만, 표준말로 통일되기 전에도 이미 전국을 자유롭게 흘러다니고 있었다는 것을 알게 됐어요.

마담쿠: 어쩌면 전국을 유랑하던 우리 고유의 말은 글로 옮겨지면서 사라졌을지도 모릅니다. 표준말의 정형화된 규칙에 따라 표기를 해야 하니까요. 외국어 표기법은 있어도 사투리 표기법은 없으니까 때때마다 곤란해지는 것이지요. 그렇지만 반대로 표기법이 없는 덕분에 사투리는 매우 자유롭게 표기될 수 있고, 그걸 이 시집이 증명하고 있어요. 우리말이 이렇게 자유롭다니, 잃어버린 뭔가를 발견한 기분이 들어요. 〈오진 꼴〉이라는 시에서 '공산떡'이 교회 야학에서 글을 배웁니다. '닥'이나 '달구새끼'가 아니라 '닭'으로 써야 한다는 걸 뽐냅니다. 마치 내 앞에서 '공산떡' 아주머니가 목소리를 높이

며 환하게 웃는 것 같았어요. 참, 신기해요. 언어가 시간과 공간을 없애버렸어요. 21세기에 살고 있는 우리들이 바로 그 현장에 있는 느낌이에요. 만약 〈그라시재라〉의 언어가 서남 방언이 아니라 표준말로 썼다면 어땠을까요? 말이 사라지고 글만 남을 때, 무언가가 자취를 감추지 않을까요? 어쩌면 이 시집에 등장한 여성들의 얼굴이 지워지면서 등장인물 1, 등장인물 2, 화자 1, 화자 2로 표기될지 모릅니다. 그리고 지워지는 건 비단 그분들의 얼굴만은 아니겠지요. 형식이 사라지고 내용만 덩그러니 남아 있으면 시간적으로나 공간적으로나 그때 그곳이 아주 멀어질 테니까요.

코디정: 그런데 〈그라시재라〉의 형식은 표준문법이 정한 띄어쓰기와 맞춤법 형식이 아닙니다. 그렇다고 제가 아는 어떤 다른 형식도 아닌데 이상하게 자연스러워요. 그냥 그런 형식이어야 할 것 같은 형식이었어요. 말과 글에 관해 뭔가 큰 걸 배운 느낌이에요. 자유를 배웠을까요? 제가 이 시집을 읽으면서 충격을 받은 게 하나 더 있습니다. 너무 당연한 얘기일 수 있어서 부끄럽기까지 합니다만, 그래도 이야기해 보고 싶어요. 언젠가 제 딸이 아주 어렸을 적에 컴퓨터 그림판으로 눈사람을 그린 적이 있어요. 그런데 눈사람을 여성으로 그려 놓은 거예

요. 눈사람의 젠더를 고민해 본 적은 없었지만, 저는 으레 '그'라고 생각했던 것 같아요. 하지만 딸은 '그녀'로 표현했고, 저는 깜짝 놀랐어요. 남성인 나는 사물과 세계를 '남성적으로' 바라보고 있던 셈이고, 여성성은 보이지 않았던 것이죠. 딸의 그림을 보면서 '그'와 '그녀'의 변주와 조화를 이해할 수 있을 것만 같았어요. 학창 시절부터 우리나라 사람들의 정서를 '한恨'으로 배웠습니다. 잘 납득은 안 되었지만, 아무튼 그렇게 배웠고 외웠습니다. 그러다가 〈그라시재라〉를 읽으면서 비로소 '한'을 이해할 것만 같아요. 그 한은 '여성의 한'이었던 거였어요. 여성이 절망을 겪고 마음에 한을 품으면서 그것을 승화시켜 가는 과정이 이 시집에 고스란히 기록되어 있습니다. 그것도 허구가 아니라 사실로 말이지요. 결국 나는 이 시집을 읽으면서 '한국적 페미니즘'을 체험하고 있다는 기분도 들었어요. 물론 시집에서는 페미니즘에 관한 주장이 없어요. 견해도 없고요. 그런데 서남 지역의 여성들을 삶으로 보여주는 서사와 정서만으로도 한을 이겨내는 한국 여성의 정신이 전해졌습니다.

마담쿠: 모르긴 몰라도 서남 지방 방언으로 쓰인 이 페미니즘은 아주 희소한 페미니즘일 겁니다. 더 이상 방언으로 회자될 공식적인 자리가 없으니까요. 김영하 작가의

〈오직 두 사람〉에서 이런 질문을 하거든요. 수백 개의 화석 언어들이 사용되는 도시 뉴욕에서, 화석 언어를 쓰는 사람이 단 두 사람 남았을 때, 한 사람이 세상을 떠나버린다면 나머지 한 사람은 어떻게 되나. 그리고 이렇게 말합니다. '사소한 언쟁조차 할 수 없는 모국어라니, 그게 웬 사치품이예요?' 어쩌면 이 시집은 언어의 독방을 탈출하기 위해 우리가 만들어낸 기록인지도 모르겠습니다.

코디정: 이런 아름다운 언어가 화석 언어가 된다니 저항하고 싶어져요.

마담쿠: (웃음) 그런데 우리가 서체 때문에 불평을 늘어놨잖아요? 레이아웃 때문에 고심했고요. 그 얘기 좀 해봐요. 독자들이 재미있어 할 것 같아요.

코디정: (웃음) 네. 우리가 고생 좀 했지요. 시인의 문장을 멋진 서체로 담고 싶었습니다. 이른바 '유료 서체'로요. 그런데 이거다 싶으면 그 서체가 방언을 표기하지 못하는 거예요. 서체를 개발할 때 개발자들이 표준말의 표기법만을 고려했던 겁니다. 방언이 외국어는 아니잖아요? 그런데 표기를 못해요. 억울하더라고요. **'애렸을 때**

에서 '렜'을 표기하지 못해요. 표기하지 못하는 방언이 한두 가지가 아니었어요. 황당한 기분이 들었지요. 어쩔 수 없이 무료 서체를 사용해야 했는데, 무료 서체들은 미학적으로 어딘가 좀 부족했어요. 그래서 이런 서체도 사용해 보고 저런 서체를 실험해 보고 했지만, 어떤 서체는 너무 옛스러워서 불만이었고, 또 어떤 서체는 너무 시와는 맞지 않았습니다. 고민 끝에 '본명조' 서체를 사용하게 됐어요. 이 서체는 그다지 예쁘지는 않아요. 하지만 모던하면서도 세련되지는 않은 묘한 어울림이 있었습니다. 서체보다 어려웠던 것은 레이아웃이었어요. 보통 시집에서 사용하는 레이아웃을 우리가 모르는 것은 아니지만, 그걸 따를 수가 없었습니다. 이 시집의 고유한 성격 때문이었어요. 일단 이 시집이 1960년대 서남 전라도 방언으로 씌어 있어서 어쩔 수 없이 의미를 파악하기 어렵습니다. 또 시편들이 대체로 대화로 이루어져 있잖아요? 문장 길이가 길면 의미가 저절로 복잡해지더라고요. 시인은 아주 섬세하게 생각해서 행을 나눔에도 그 의도가 잘 전해지지 않았습니다. 미학적으로도 혼란스러웠고요. 시인의 의도는 독자에게 전해지지 않을 것 같고, 독자는 시 안으로 깊이 들어가기 전에 책을 덮을 것 같았어요. 레이아웃이 이런 문제를 해소해 줬으면 좋겠다는 마음이었습니다. 이런저런 시행착오 끝에, 이 시집의 첫 번째 시행 **'할무니 에렜을 때도 달이 저라고 컸어요?"**를 기준으로 삼았습니다. 한 행의 길이를 글자수 16자 내외로 하는 게 좋겠다고 결정한 것이지요. 그리고 행 자체가 길어서 자연스럽게 줄 바꿈이 된 행과, 시인이 의도적으로 행 바꿈을 한 행을 또 구별해야 했거든요. 눈에 거슬리지 않게 줄 간격을 미세 조정했어요. 자세히 보면 보입니다. 그렇게 레이아웃을 결정하고 보니, 조금은 안심이 되더라고요.

마담쿠: 그래도 낯선 방언, 그 의미를 알 수 없는 사투리 단어는 그대로인데 독자들이 사전을 찾아가면서 읽어야 할까요?

코디정: (웃음) 불가능하지요. 사전에 없는 낱말도 많은 걸요? 그래서 우리가 서남 방언 색인을 만들었습니다. 편집하면서 조사하고 정리한 500개 방언을 담은 단어 사전입니다. 예문은 모두 이 시집에 있는 문장을 사용했어요. 자연스럽게 시집을 풀이하는 역할도 합니다. 독서가들에게 이롭지 않을까 생각해요. 하지만 권위로 편찬된 사전이 아니라 그저 편의를 위해서 만든 것이므로 부족한 점이 있을지도 모르겠습니다. 이 책의 저자인 조정 시인께서 직접 감수해 주셨습니다.

마담쿠: 네. 편집자로서 이 시집을 위해 우리가 할 수 있는 역할을 약간은 한 것 같아요. 고생하셨어요. 많은 독자가 서남 방언 색인을 참고하면서 이 책을 만끽하기를 희망해요. 감사합니다.

코디정: 마지막으로 한마디 덧붙이고 싶어요. 불현듯 자다가 이런 생각을 해 봤어요. 〈그라시재라〉에 수록된 시편이 교과서에 실리면 어떨까 하는…… 그 자체로 엄청난 사건이 될 거예요. 단순히 방언으로 적힌 시편이 아니잖아요. 이렇게 자유롭고 꼿꼿한 언어로 시를 읽는 수업은 얼마나 대단할까요? 독자 여러분, 여기까지 읽어 주셔서 감사합니다.

서남 방언 색인

독자를 위한

작은 방언사전입니다.

모든 예문은

이 시집, 〈그라시재라〉에서

따왔습니다.

가매 | 가마.

가새 | 바깥쪽 경계가 되는 가장자리 부분, 혹은 그릇이나 냄비의 아가리 주변.

가생이 | 가장자리.

가슴애피 | 가슴앓이. '너무 꿍꿍 참고 그라먼 가슴애피 생개라' (너무 꿍꿍 참고 그러면 가슴앓이가 생겨요.)

가실 | (갈) 가을 또는 수확. '집집이 가실도 끝나깨 성대허니 모시것네' (집집이 가을 수확도 끝나니까 성대하게 모시겠네.)

가심 | 가슴. '공주 아배가 황산떡 가심에 못질 했재' (공주 아빠가 황산댁 가슴에 못질 했지.)

가이내 | (가이나) 계집아이.

가찹다 | 가깝다.

간나구 | 여우. 간사한 짓을 하는 사람을 낮잡아 표현하는 말. '간나구같은 년이시 온 동네가 다 묵는 시암에서 뭔 짓거리다냐' (여우 같은 년이지. 온 동네가 다 먹는 샘에서 무슨 짓거리다냐.)

감장 | 관리, 보관. '비싼 것을 이리 다 내놓가 한나만 주고 감장하소' (비싼 것을 이리 다 내놓는가. 하나만 주고 챙겨두게.)

감재 | 주로 고구마를 지칭하지만 때때로 감자. '불에 감재 묻어논 것 익었것네 내다 묵고 심 내서 밤새 싸와보소이' (불에 고구마 묻어놓은 것 익었겠네. 꺼내서 먹고 힘을 내서 밤새 싸워 봐.)

갑써 | (갑서) ㅇ갑써, ㄴ갑써의 형태로, '~같아요' '암만 해도 땅꼬네 함마니 가실랑갑써' (아무래도 땅꼬네 할머니께서 돌아가시려나 봐.)

강께 | 가니까.

개금 | 가야금.

개물뚱 | 지명.

개집 | (옛말) 천 생리대. '시암에서 개짐을 빨아?' (샘에서 생리대를 빨아?)

갠찬허다 | 괜찮다.

갱문 | 경문.

갱아지 | 강아지.

갱우 | 경우.

갱찰 | 경찰.

거그 | 거기.

거름배미 | 두엄자리, 두엄을 쌓아 모으는 자리.

건개 | 반찬.

걸거치다 | 거치적거리다. '아씨는 가서 책이나 읽어 걸거칭께 들오지 마러!' (아씨는 가서 책이나 읽어. 거치적거리니까 들어오지 마!)

경 | 설거짓거리. '정재 가서 경을 서 굿든지'(부엌에 가서 설거지를 하든지)

고거시 | 그것이.

고라고 | 그렇게.

고상 | 고생.

골란 | 곤란.

공장히 | 굉장히. '저 사람도 공장히 빠릉만 허고 영감님이 불렀다네' (저 사람도 굉장히 빠르구만 하고 영감님이 불렀다네.)

굄 | (옛말) 남에게서 사랑을 받음. '앞집 하나씨 뽄 받으면 으디 가도 실수 안 허고 굄받고 살 거시다' (앞집 할아버지를 본 받으면 어디 가서도 실수를 안 하고 사랑받고 살 것이다.)

구지다 | 좋지 않다. '나라 망허고 시절이 구지면 밸 일도 다 있니' (나라가 망하고 시절이 좋지 않으면 별일도 다 생긴다네.)

구장 | (옛말) 시골 마을의 '이장'을 일제치하에서 '구장'이라 불렀다. '성용이네 유재 굽어다보는 맘이 하해갔고만이 구장을 매깨도 되것네' (성용이네 이웃 돌봐주는 마음이 하해 같구만. 이장을 맡겨도 되겠네.)

구풋하다 | 시장하다. '묵는 말 항께 배가 잔 구풋한디 성님 입 궁금헌께 무시 한나 파오께라?' (먹는 얘기를 하니까 배가 좀 고프네요. 형님, 출출해서 뭔가 먹고 싶으니 무를 하나 파올까요?)

국사 | (옛말) 봄, 가을용 얇은 비단의 한 종류.

굴겅굴겅 | 까다롭지 않고 선선한. '질부가 굴겅굴겅 속도 좋아 보이든디' (며느리 성격이 까다롭지도 않고 속도 좋아 보이던데)

권반 | (권번) 기생 양성소.

귀경 | 구경.

귄 | 볼수록 매력있음, 예의도 있고 귀염스러움도 있는 특성. '자네 살림 솜씨가 느저구 있고 귄찐 것이 외할매 내림이구만이' (자네 살림 솜씨가 싹수 있고 매력있는 게 외할머니 내림이구만.)

그라시재라 | 그러믄요, 그럴밖에요, 미루어 알만 해요.

그라재 | 그렇지.

그란디 | (근디) 그런데.

그럭 | 그릇.

그나 | 그나저나, 그런데.

그바게 | 급하게.

그방께 | 급하니까. '샛것 내갈 일 그방께 불나게 돌아서 온디' (새참을 내갈 일이 급해서 부리나케 돌아서 오는데)

그작저작 | 그럭저럭.

글고봉께 | 그러고 보니까.

글다가 | 그러다가.

금메 | 글쎄. '금메마다 달은 안 늘근디 어찌 사람은 이라고 못쓰게 되끄나이' (글쎄 말이다. 달은 안 늙는데 어찌 사람은 이렇게 못쓰게 될까나.)

급디다 | 그럽디다.

긍갑다 | 그런가 보다.

긍께 | 그러니까.

기마이 | 돈이나 물건을 선선히 내놓는 기질.

기뻴 | 기별.

기언치 | 기어이. '시아재가 기언치 못 살것노라 항께 앞일이 어짤랑가 모르재마는' (시동생이 기어이 못 살겠노라고 하니까 앞일이 어떻게 될지 모르지만)

기시다 | 계시다. '이라고 맛난 것 냉개놓는 성님이 기싱께 나가 으디를 가고자파도 못 간단 말이요' (이렇게 맛난 것을 남겨놓는 형님이 계셔서 내가 어디를 가고 싶어도 못 간단 말이요.)

까마구 | 까마귀.

까장 | 까지.

깜시 | (께미, 깨비) '-깜시'의 형태로, '까 봐'. '으치께 이삔가 물 흔들리깜시 빨래허든 손 놓고 앙거서' (얼마나 예쁘던지, 물 흔들릴까 봐 빨래하든 손 놓고 앉아서)

깨갱허다 | 겁 먹은 강아지처럼 대들거나 따지지 못한다. '아무 죄 없는 서방을 맥살잽이해서 들었다낫다 해분께 바람이 머시여 만사에 깨갱허고 사요안' (아무 죄 없는 서방을 멱살잡이해서 들었다 낫다 하니까 바람은커녕 만사에 대들지 못하고 살잖아요?)

깨깟허다 | 깨끗하다.

깨깨불다 | 깎여버리다. '와따매 도

216

지사님이 첩실 사우라고 소문이 나
붓것네 무단히 낯부닥 깨깨분 셈이
네이' (아따 도지사님이 첩실 사위라
고 소문이 나버렸겠네. 무단히 체면
깎여버린 셈이네.)

깨꼼허다 | 어쩐지 말끔해 보인다.
꺽정 | 걱정.
껀정하다 | 껑충하다. 멋없이 길다.
'키는 껀정헌디 낯바닥 희캐가꼬 안
갈캐줘도 페뱅쟁이인지 알것드라'
(키는 껑충하고 얼굴빛은 하얘서 안
가르쳐 줘도 폐병쟁이인지 알겠드
라.)
껍딱 | 껍질. '껍딱만 보고는 모릉께
말이여' (겉만 보고는 모르니까 말이
요.)
꼬랑 | (또랑) 도랑.
꼬랑지 | 꼬리.
꼬수다 | (꼬시다) 고소하다. '꼬순
웃음 웃지 말고' (고소한 웃음 웃지
말고)
꼬시르다 | 태우다. '즈가부지가 빼
아프게 패논 장작만 꼬시르고 살면
낯짝 없응께라' (애아버지가 뼈아프
게 패 놓은 장작만 태우고 살면 낯없
으니까요.)

꼬치 | (고치) 고추.
끈타불 | 끈. '내 채에 끈타불 떨어
지면 인자 누가 감어주꼬' (내 키^{곡식}
^{따위를 까불어 치는 기구}에 끈이 떨어지면 이
제 누가 감어 줄꼬.)
끄니 | 끼니. '그렁께 밥 세 끄니를
못 채고 이라고 상갑써라' (그러니까
밥 세 끼를 못 채우고 이렇게 사는 것
같아요.)
끄서 가다 | 끌고 가다.
끌텅 | 뿌리, 그루터기. '선비 가문이
라고 허면 근지 알재 끌텅을 파볼랍
디여' (선비 가문이라고 말하면 그런
줄 알지 뿌리를 파보겠어요?)
끼께다 | 치이다. 손해를 보다. '한
양 작은집 올래보내니라고 재산이
많이 끼껬능갑대' (서울 작은집에 올
려 보내느라고 재산을 많이 잃어버
렸는가 봐요.)
끼께 가다 | (낏게가다) 끌려가다.
끼리다 | 끓이다. '노물 죽 끼래 묵
음서 항꾼에 사세' (나물 죽 끓여 먹
으면서 함께 사세.)
나수 | (나소) 엄청나게, 매우 많이.
'갱찰들이 토벌 갔다가 나수 죽었다
여'(경찰들이 토벌 갔다가 엄청나게

죽었다고 해요.)

날랍다 | 날래다. '눈 홀리게 날랍게 생겼소안 당신 어매 닮았다요' (눈을 홀리게 날래게 생겼지 않아요? 그분 어머니를 닮았다고 해요.)

낭중에 | 나중에.

낮부닥 | 낮바닥.

내레오다 | 내려오다.

내불다 | 내버리다. '화토짝 잡는 거시 빙이재 내불 데가 없는 사람인디' (화투짝을 잡는 것이 병이지 내버릴 데가 없는 사람인데……)

낼 | 내일.

냉기다 | 남기다.

너루다 | 너르다.

너매 | 너머. '국사봉 너매 자웅으로 가는 판이었능갑대요' (국사봉 넘어 장흥으로 가는 판이었던 것 같아요.)

너머 | 너무. '느그 친정은 딸 시집을 너머 솔하게 보냈재' (너희 친정은 딸 시집을 너무 쉽게 보냈지.)

노물 | 나물. '없으면 뒤지 딱딱 글거서 노물 죽 끼래 묵음서 항꾼에 사세' (없으면 뒤주 닥닥 긁어서 나물 죽 끓여 먹으면서 함께 사세.)

놀놀하다 | 익어가다. '워메 역상일

래 묵을 생각만 놀놀해가꼬 저 지앙시렁 거' (어이, 꼴보기 싫어. 먹을 생각만 익어가지고 저 부잡스런 거.)

놈, 노무 | 남. '노무 서방이라도 나는 미와 죽것등만' (남의 서방이라도 나는 미워 죽겠드만.)

누구산내 | 뉘 집. '누구산내 살림이 그만저만 헝갑네 먼 맛난 내가 이라고 진동허까' (뉘 집 살림이 그만저만 한 것 같네. 뭔 맛난 내가 이렇게 진동하까?)

느검니 | 너희 어머니.

느그 | 너희. '느그가 뻔적한 메느리 봤냐아 놈의 가심에 대창 쬐시고 잘 살 줄 아냐아'(너희가 뻔적한 며느리 봤다는 것이냐. 남의 가슴에 대창 쑤시고 잘 살 줄 아느냐!)

느리보다 | 늘그막에 호강하다. '그래도 성님 승만네가 새끼들 느리보고 살 거시오' (그래도 형님, 승만네가 자식들 덕에 늘그막에 호강하고 살 것이오.)

느자구 | 싹수. '머시마가 느자구가 없다등만' (사내아이가 싹수가 없다고 하던데.)

느저구 | '느자구'보다는 애정이 들

어간 어감. '이약이약 헌디 여간 다 정시럽고 저것들이 느저구가 있구나 했네' (오순도순 이야기를 나누는 모습이 여간 다정스럽고 저것들이 싹수가 있구나 했네.)

뉘비 | 누비. '뉘비' 저고리.

다듬독 | (따듬이독) 다듬잇돌. 다듬이질을 할 때 밑에 받치는 돌.

다요 | ~다요의 형태로, '~대요.'

단임 | 담임. '선생이 모지란 때라 송자도 1학년 단임을 맡았다요' (선생이 모자란 때여서 송자도 1학년 담임을 맡았대요.)

달개다 | 달래다. '그라지 마소 함시로 달갱게 이라고저라고 저 사는 언정을 하드라여' (그러지 말아 하면서 달래니 이렇고저렇고 자기 사는 하소연을 하더라네.)

달구새끼 | 닭.

담박꿀 | (담박질) 달리기.

담살이 | 머슴살이.

당골래 | 무당, 점쟁이. '그 당골래가 정초 되면 갱상도 새수미바우로 공디리러 가드랑께' (그 무당이 정초가 되면 경상도 새수미 바위로 공 드리러 가더라니까.)

당아 | 아직. '근디 오늘은 당아 정순네가 안 오네이 잔 오먼 쓰것구만' (그런데 오늘은 아직 정순네가 안 오네. 좀 오면 좋겠구만.)

대삽 | 대숲. 대밭.

대처 | (옛말) 도회지. '글고봉께 솔랑솔랑 대처로 나간 집이 솔찬허시' (그러고 보니 조금씩 조금씩 도회지로 나간 집이 꽤 많지.)

대처나 | 과연, 하기는. '대처나 그요이 참꽃이 개꽃 저테 있으면 빛이 죽재' (하기는 그렇네요. 참꽃이 개꽃 옆에 있으면 빛이 죽지요.)

대끼 | (-대끼) 듯이. '땅꼬네 두째 성복이가 스치대끼 얼렁 지나감서' (땅고네 둘째 성복이가 스치듯이 얼른 지나가면서)

댕기다 | 다니다.

더우 | 더위.

더투다 | 더듬으면서 찾아보다. '놈의 족보 더투지 말고 감재나 잘 쪼개소' (남의 족보 더듬지 말고 감자나 잘 쪼개게.)

덕석 | 멍석. 짚으로 네모지게 만든 큰 깔개. 곡식을 말릴 때 쓰거나 마당에 깔아 손님을 모실 때 사용한다.

데꼬 | 데리고.

데렌님 | 도련님.

도채비 | 도깨비.

독 | 돌. '조토 안 해 풍구로 불고 채로 까불어도 뉘도 있고 독도 있고 그라네' (좋지도 않아. 풍구로 불고 키로 흔들어도 뉘도 있고 돌도 있고 그렇네.)

독아지 | 항아리.

돔바가다 | 훔쳐가다. 도둑질하다. '노무 밭에 뽕잎 돔바가는 사람들도 있고 안 그랫소' (남의 밤에서 뽕잎 훔쳐가는 사람들도 있지 않았소?)

동각 | 마을회관.

동숭 | (동상) 동생.

두째 | 둘째.

뒤야지 | 돼지.

뒤지 | 뒤주.

등거리 | 등. '가이내가 내 등거리에 대고 당부허드란 말이요' (가시내가 내 등에 대고 당부했단 말이요.)

디 | 데. '딴 디서는 조심하요' (다른 곳에서는 조심하요.)

디리다 | 들이다. '허주사네 허청에다 방 디려서 산갑습디다'(허주사네 헛간에 방을 들여서 사는 것 같습니

다)

디지다 | 죽다.

디키다 | 들리다. '안개 자욱헌 새복에 쪼깐네 아부지 논에 나가든 기척이 안 디킨께 고샅이 적적허데' (안개가 자욱한 새벽에 쪼깐네 아버지가 논에 나가는 기척이 안 들리니 마을 골목이 적적하더라고.)

땀뿍 | 담뿍.

땀시 | (땀새) 때문에.

때암 | 때문.

떡 | 댁 (여자를 뜻하는 접미어, 대체로 지역을 나타내는 명사가 앞에 위치한다). '월산떡'은 '월산댁'을 일컬음.

뚜드러패다 | 세게 치거나 때리다.

띵기다 | 던지다. '띵게놓고 간 거시여' (던져 놓고 간 것이야)

마느래 | 마누라.

마동 | '-마동'의 형태로, '마다'. '날마동 노래 갈치고 사상교육허고 안 했능가' (날마다 노래 가르치고 사상교육하고 안 했는가.)

마시 | '-마시' 형태로, '말이야', '말이요'. '요센께 가야금이락 하재 그쩍에는 다 개금이락 했단마시' (요새는

가야금이라고 하지만 그 시절에는 다 개금이라고 했단 말이야.)

만내다 | 만나다. '쪼깐 거만하시당께 생전 우리네를 만내도 눈 아래로 보시고 안 그요' (좀 거만하시다니까요. 생전에 우리네를 만나도 눈 아래로 보시고 안 그래요?)

만하다 | 많다. '내 맴이 서늘헐 적이 만하네' (내 마음이 걱정스러운 적이 많았네.)

말래 | 마루. '영감님이 암맛또 앙코 말래 끝에 앉으셨다가 괴이헌 일이네 허시드니' (영감님이 아무 말도 안 하고 마루 끝에 앉으셨다가 괴이한 일이네 하시더니)

맥이다 | (믹이다) 먹이다. '뭣 잔 찾아 맥일라고 정지 들어가먼 정지깐 종들이 소락데기를 꽥 질르드라여' (뭣 좀 찾아 먹이려고 부엌에 들어가면 부엌 종들이 큰소리를 꽥 지르더라네.)

맷맛하다 | (맨맛하다) 만만하다. '먼데 중보다 가찬 데 머심이 낫단 말이 맷맛허게 허는 말이 아니랑께' (먼 데 중보다 가까운 데 머슴이 낫다는 말이 만만하게 하는 말이 아니

라니까.)

맨치로 | (맹키로) 처럼. '내 귀헌 동상들을 개 죽은 것맨치로 버래두것능가' (내 귀한 동생들을 개가 죽은 것처럼 버려두겠는가.)

맴생이 | 염소.

맹글다 | 만들다.

맹갱 | 만경. 해질 무렵의 하늘.

맹심 | 명심.

맹절 | 명절.

맹지 | 명주.

머시랑가 | (머시라등가) 무엇인가?

머시매 | 사내아이.

머심 | 머슴.

먼첨 | 먼저. '성님 오늘은 먼첨 인나서 가볼라요' (형님, 오늘은 먼저 일어나서 가보겠습니다.)

멋 | 무엇. '머슬'(무엇을), '머땀시' (무엇 때문에)

메가지 | 모가지. 멱살.

모가치 | 몫. '맛나먼 다 잡솨부럿재 우리 모가치 남은 것 봉께 맛이 없었능갑구만' (맛이 있으면 다 잡수셨겠지. 우리 몫이 남은 것을 보니까 맛이 없었던 것 같구만.)

메하다 | 묘하다. '근디 메한 인연이 재 신영균이 잽혀있는 부대으 대장 마느래가 되야버렀당게요' (그런데 묘한 인연이지요. 신영균이 잡혀있 는 부대의 대장 마누라가 되어버린 거예요.)

모다 | 모두. '우리는 모다 새가 되것 네 사람 그리워 보대끼다 죽으면 새 가 된다네' (우리는 모두 새가 되겠 네. 사람이 그리워 부대끼다 죽으면 새가 된다네.)

모실 | 마실. '아가, 함마니 따라 모 실 왔냐? 이 퐅빵 잔 묵어바라 맛나 것이지야' (아가, 할머니 따라 마실 왔 냐. 이 팥빵 좀 먹어봐라. 맛있을 것 같지?)

모타다 | 모으다. '우리 요라고 모타 서 놀라고 영감들이 인공 핑계 대고 저 시상으로 가부렀능갑써라'(우리 가 이렇게 모여서 놀라고 영감들이 인민공화국 전쟁 핑계 대고 저 세상 으로 가버렸는가 봐요.)

목간하다 | 목욕하다. '제 지낼 목간 허러 갔는디 물이 안 내래오드라네' (제사를 지내려고 목욕하러 갔는데 물이 안 내려오드라네.)

몰딸 | 맏딸.

몰게 | 모르게. '몰게 댕길 때도 빙을 허고 댕개 쌌는디' (모르게 다닐 때 에도 염병하고 다녀쌌는데)

몰르다 | 모르다.

몰리다 | 말리다.

무단하다 | 소용없다. '음마 염병 묵 고자버도 냉개놨는디 내가 무단한 짓 했구만' (음마, 염병, 먹고 싶은 걸 참고 남겨 뒀는데 내가 소용없는 짓 을 했네.)

무선증 | (무섬증) 무서움을 느끼는 기분.

무삽다 | 무섭다.

무시 | 무.

무시방구 | 냄새가 지독한 방귀.

묵잘 것 | 먹을 것. '귀헌 사램들헌 티 밸미를 믹애사쓴디 묵잘 것이 있 능가 몰것네' (귀한 사람들한테 별미 를 먹여야 하는데 먹을 만한 것이 있 는지 모르겠네.)

물팍 | 무릎.

물짜게 | 형편없게. '성제간에 으디 산지도 몰르게 물짜게 살았다요' (형 제가 서로 어디에 산지도 모르게 형 편없게 살았다네요.)

뭉끄다 | 묶다. '밥 묵든 두 성제간 뭉꺼서 끄꼬간디'(밥을 먹던 두 형제를 묶어서 끌고 가는데)

미영베 | 무명베. 무명실로 짠 베.

미영씨 | 무명씨, 목화씨.

미클다 | 밀어버리다. '이난소리나 통통 허고 자빠졌으면 소매통에 미크라불고 잡당께'(쓸데없는 소리나 통통하고 있으면 오줌통에 밀어버리고 싶다니까.)

미꾸리 | 미꾸라지.

미차 | 미처.

믹이다 | 먹이다.

민적 | (옛말) 호적.

바가치 | 바가지. '독쟁이 아짐이 바가치에다 짐치 썰어넣고 참지름 부서서 밥 비배 오면 그 밥가치 맛나쓰까'(독쟁이 아주머니가 바가지에 김치를 썰어넣고 참기름 부어서 밥을 비벼 오면 그 밥처럼 맛난 게 있을까.)

바우 | 바위.

발길감성께 | '발기다'와 '감성께'의 결합. 바를까 봐. '자네들 자꼬 타시락거리면 미영씨를 성질 난대로 되나케나 발길감성께 이야기 한 자리

해주까?' (자네들이 자꾸 타시락거리면 목화씨를 아무렇게나 바를까(목화 바르기: 목화 속의 씨앗을 빼내는 일) 걱정되니까 이야기 하나 해줄까?)

발태죽 | 발자국.

방방하다 | 두 사람의 실력이 비슷하다. '근디 그 사람은 더 빠른가 어쩐가 방방하니 그만헌 거리가 줄어들들 않드라네' (그런데 그 사람은 더 빠른지 어떤지 비슷하니 그만한 거리가 줄어들지 않더라네.)

배녕 | (지명) 전라남도 강진군 병영면.

배락 | 벼락. '배락마질 것들이네이' (벼락을 맞을 것들이네!)

배람박 | (배람빡) 벽. '어야 거그 배람박에 달력 내래서 여그 까소 깨 부서놓고 잔 고르세' (어야, 거기 벽에서 달력을 내려 여기에 깔게. 깨를 부어 놓고 좀 고르세.)

배창시 | 창자.

배끼 | 밖에. '기수한테 잘못헌 것이라고는 한 가지배끼 없소' (기수에게 잘못한 것이라고는 한 가지밖에 없어요.)

밴하다 | 변하다.

223

밸적시럽다 | 별스럽다. '오늘은 밸적시럽게 입을 딱 봉해불드만' (오늘은 별스럽게 입을 딱 봉해버리더만.)

뱅 | 병.

벌레벌레하다 | 두근두근하다. '소앙치 새끼맨치로 순한 눈을 보면 내가 죄인 되야가꼬 무단히 맘이 벌레벌레한단 말이여' (송아지처럼 순한 눈을 보면 내가 죄인이 돼버려서 무단히 마음이 두근두근하단 말이야.)

벨 | 별.

보 | 거봐. '보 성님도 이상허셌지라?' (거봐, 형님도 이상하셨지요?)

보배우다 | 보고 배우다. '딸년이 보배운 것 없응게 시집가서 같은 짓을 허재' (딸이 보고 배운 게 없으니 시집가서 같은 짓을 하지.)

보비우 | 보비위. 남의 비위를 잘 맞추는 일. '성님 사나그는 뒤아지나 한가지여라 맛난 것 해믹임서 보비우 살살 허면 말 듣게 되야 이써' (형님, 남자는 돼지와 한가지예요. 맛난 것을 해먹이면서 비위를 살살 맞추면 말 듣게 돼 있어요.)

보신 | 버선.

보타지다 | 몸이 마르다. '토로 해보소 굿이라면 쌈굿도 좋다는 우리 도출네 보타지겠네' (터놓고 말해 보소. 굿이라면 쌈굿도 좋다는 우리 도출네 몸이 바싹 마르겠네.)

불가지다 | 밝혀지다. '인자 다 불가져부러서 여럼스럼 없는갑대' (이제 다 밝혀져서 부끄럼도 민망스럼도 없는 것 같더라고.)

볿다 | (봅다) 밟다. '저노무 삥아리 새끼들 작신 불바부러야겠네 그라재'(저놈의 병아리 새끼들 흠씬 밟아버려야겠네라고 말하지)

붉다 | 밝다. '달이 대낮같이 볼긍게 다 봐부렀재'(달이 대낮처럼 밝으니까 다 봐버렸지)

봉께 | 보니까.

부러배락허다 | 부러워하다. '나를 부러배락허는 창아리빠진 예편네들도 많애라' (나를 부러워하는 속없는 여편네들이 많아라.)

부체님 | 부처님.

북감재 | 감자.

불나게 | 부리나케.

비다 | 베다. '나무칼로 귀를 비어가도 몰르게 내우간 재미지게 살면 그것이 큰 효도재' (나무칼로 귀를 베

어가도 모르게 부부가 재미있게 살
면 그것이 큰 효도지.)

비미니 | 어련히. '존 말이네 자네가
비미니 존 데 대것능가' (좋은 말이
네. 자네가 어련히 좋은 곳을 소개해
주지 않겠는가.)

비암 | 뱀.

빈통 | 변통. '그 냥반이 빈통없는 소
리 하실 냥반이가니' (그 양반이 변
통머리 없는 소리를 하실 양반이겠
어?)

빙하다 | 염병하다. '빙 하네 머슬
몰게 봐야' (염병하네. 뭣을 모르게
봐?)

빰 | 뺨.

빽다구 | 뼈. '빽다구 있는 반가의
딸이고 시집이 원청 짱짱하니' (뼈대
있는 양반가의 딸이고 시집이 아주
짱짱하니)

뽄 | 본(본보기), 모범.

뿔리다 | 홀리다.

뿔깡 | 온 힘을 다해. '온 집안 뿔깡
뒤집어 소지 했드니 가실해서 곡석
너놀 자리가 헌해졌네야' (온 집안을
힘껏 뒤집어서 청소를 했더니 수확
해서 곡식을 넣을 자리가 훤해졌네.)

뿌렁구 | 뿌리. '친정 뿌렁구가 빠져
부러서 이도저도 아닝께 시집이서
누가 대우를 해줬것능가' (친정집 뿌
리가 빠져버리니 이도저도 아니게
돼서 시집에서 누가 대우를 해줬겠
는가.)

뿌사리 | 황소. '꼬랑지 불붙은 뿌사
리마니로 뛴께 배창시 잡고 웃았당
께' (꼬리에 불 붙은 황소처럼 뛰니
까 창자 잡고 웃았다니까요.)

사나그 | 사나이

사내키 | (사내끼) 짚으로 꼰 줄.

사램 | 사람.

사르라니 | 살짝. '지달려 보소 장깡
에 콩노물국 사르라니 언 것 있네야'
(기다려 보소. 장독대에 콩나물국 살
짝 언 것이 있네..)

사뭇다 | 엄청. '가실 타작마당 사뭇
다 바쁠 때 났응께 마당순이락허든
지' (가을 수확 타작마당에서 엄청
바쁠 때 태어났으니 마당순이라고

하든지)

사불것 | '시집 옹께 사불것이라고 끼래묵은디 요라고 갖가지가 들어 있는 것을 사불것이락 헝겁다했재' (시집 오니까 사불것이라고 끓여먹는데 이렇게 갖가지가 들어있는 것을 사불것이라고 하는가 보다 했지.)

사재 | 저승사자. '저 여자는 사재같어라 자다가도 무선증 나서 못 살것소' (저 여자는 저승사자 같아요. 자다가도 무섬증이 나서 못 살겠어요.)

사재 | '-사재'의 형태로 '야지'. '아먼 잘 살아사재 죽어불먼 어짜도저짜도 못한디 그 고비 냉겠응께 존 시상도 봐사재' (아무렴, 잘 살아야지. 죽어버리면 어쩌지도 저쩌지도 못하는데 그 고비를 넘겼으니까 좋은 세상도 봐야지.)

사잿상 | 사자상. 초상난 집에서 저승사자를 대접하기 위해 제물을 차려 놓는 상. '사잿상 흰쌀에 개 발태죽 새 발태죽 나는 것 보면 자네 말도 일리가 있네야' (사자상 흰쌀에 개 발자국, 새 발작국이 나는 것을 보면 자네 말도 일리가 있네.)

상께 | 사니까.

새비 | 새우.

새복 | 새벽. '새복이면 허주사 허고 맴생이젖 배달허고 긍갑드만요' (새벽이면 허주사와 염소젖을 배달하는 것 같더만요.)

새복질 | 새벽길.

새깽이 | 새끼.

샛것 | 새참.

생에 | 상여. '나가 먼저 가면 자네가 내 생에에다 연꽃 한 송이 곱게 달어줄랑가' (내가 먼저 죽으면 자네가 내 상여에 연꽃 한 송이를 곱게 달아주겠는가.)

생엣꾼 | 상여를 메는 사람. 상여꾼.

서굿다 | 설거지하다. 비설거지하다(비가 올 때 비 맞으면 안되는 물건들을 치우거나 덮다.)

서숙 | 조. '서숙밭에 세와놓고 총을 났습디다' (조밭에 세워놓고 총을 쐈습디다.)

선상님 | 선생님.

성건지다 | 마음씀이 넓고 시원하다, 혹은 마음씀이 좋고 성실하다.

성님 | 형님.

성제 | 형제.

성주하다 | 집을 새로 짓다. '느그도 성주헐 때는 꼭 놈모르는 지하실이등가 비밀리에 도망갈 문을 만들어야써이' (너희도 집을 지을 때에는 꼭 남모르는 지하실이든지 비밀리에 도망갈 문을 만들어야 된다.)

소낭구 | (솔낭구) 소나무.

소두방 | 솥뚜껑. '소두방 달싹거린디도 책 읽니라고 뜸 안 디리고' (솥뚜껑 달싹거리는데도 책을 읽느라 뜸들이지도 않고)

소락데기 | 큰소리. '배락같이 소락데기를 질르드만' (벼락 같이 큰소리를 치더니만)

소막 | 외양간.

소매 | 오줌. '근다고 서방을 소매통에 미클먼 찌렁내나는 빨랫가심만 산데미여야' (그렇다고 서방을 오줌통에 밀어버리면 지린내 나는 빨랫거리만 산더미야.)

소앙치 | 소 또는 송아지.

소지 | 청소.

속뱅 | 내림병.

손지 | 손자.

솔가리 | 말라서 땅에 떨어져 쌓인 솔잎과 소나무 가지.

솔차니 | 솔찬히. '제법', '상당히'의 뜻. '긍게 그 댁이가 전에 솔차니 학문을 헌 댁이었능갑대' (그러니까 그 집이 전에 상당히 학문을 한 집이었던 것 같애.)

솔하다 | 수월하다. 쉽다. '저 합 잔 내래주소 키 큰 자네가 내래주먼 솔하재' (저 그릇 좀 내려 주소. 키가 큰 자네가 내려 주면 일이 쉽지.)

송신나다 | 지긋지긋하다. '오메 송신 낭 거 즈그 밥 해 묵은 경을 언능언능 설거져서재 상 뻗대놓고 잠만 퍼장께 장국에 포리가 우하네' (아이고, 지긋지긋해라. 자기 밥을 해먹은 설거짓거리는 얼른 설거지해야지. 상을 뻗대놓고 잠만 자니 장국에 파리가 자욱하게 몰려왔네.)

송펜 | 송편.

수말스럽다 | 순하고 착하고 철이 들었다. '애릴 때도 수말시런디 얌잔하니 생긴 놈이 절도 어찌 그리 공손허게 헌당가. 자네가 자석농사 잘 지었어' (어릴 때에도 착하고 얌전하게 생긴 놈이었는데 인사도 어찌 그렇게 공손하게 하던지, 자네가 자식농사를 잘 지었어.)

숟꾸락 | 숟가락.

숭 | 흉. '성님 오늘은 내가 숭 좀 볼라요' (형님, 오늘은 내가 흉 좀 볼게요.)

숭애 | 숭어.

슬겁다 | (옛말) 슬기롭다. 어른스럽다. '슬건 놈', '슬건 데'. '성용이 저것이 간혹 저라고 슬건 데가 있어서' (성용이 저것이 간혹 저렇게 어른스러운 데가 있어서)

시금자 | 흑임자, 검은깨.

시기다 | 시키다.

시끌사끌하다 | 시끌시끌하다.

시나다 | 부지런하고 날래다. '암만 푹해도 시한인디 손 안 시러꺼싱가 그리고 시낭께 고샅에 매끔헌 아그들은 자네 새끼들이재' (아무리 푹해도 겨울인데 손이 안 시릴 것인가. 그렇게 부지런하니까 마을 골목에서 매끔한 아이들은 자네 자식들이지.)

시난 소리 | 똑똑한 소리.

시붕거리다 | 주책없이 쓸데없는 말을 함부로 지껄이다. '워메 지 입으로 그리고 시붕거리등가' (아이고, 자기 입으로 그렇게 나불거리더라고.)

시살 | 세 살.

시상 | 세상.

시심사심 | 시나브로, 조금씩 조금씩. '시심사심 왕래허다보먼 덕 볼 일이 있재' (조금씩 왕래를 하다 보면 덕 볼 일이 있겠지.)

시아재 | 남편의 남동생.

시얌 | 샘.

시종 | 시간. '시종이 여일해부러 새복 니시먼 기침하세가꼬 글 읽는 음성 낭랑허고' (처음부터 끝까지 한결같아. 새벽 네 시면 일어나셔서 글을 읽는 음성이 낭랑하고)

시천주교 | 동학.

시치다 | 씻다.

시한 | 겨울.

시퍼보다 | 무시하여 쉽게 보다. '서방님이 나를 시퍼봉께 놈모르게 한시럽고 사는 재미가 덜하고 그라대' (서방님이 나를 무시하니 남모르게 한스럽고 사는 재미가 덜하고 그렇지.)

시째 | 셋째.

식구대로 | 가족 모두.

실고치 | 실고추.

심 | 힘. '내우간에 공장 다닐란다여 시방은 아들만 댕깅께 심 잡기 잔 에랜갑써' (부부가 함께 공장에 다니려고 한대요. 지금은 아들만 다니니까 경제적으로 힘 모으기가 좀 어려운 가 봐.)

심바람 | 심부름.

심청 | 마음을 쓰는 속 바탕. '심청 사난 집 자석인지 속뱅있는 집 자석인지' (성미가 사나운 집 자식인지 내림병이 있는 집 자식인지)

싸남 | 사나운 성질. '포르라니 눈이 꼿꼿해가꼬 싸남을 부링께' (포르르 눈이 꼿꼿해져서 성질을 부리니까)

싸목싸목 | 천천히. '달 볼긍께 싸목싸목 걷기 좋아서 내레왔네'(달이 밝으니 천천히 걷기 좋아 내려왔네.)

썩 | -씩. '하나썩 뽕뽕뽕 사라져 불고 천지가 괴괴하드라여' (하나씩 뽕뽕뽕 사라져 버리고 천지가 아주 고요해졌다는 거야.)

씨리다 | 쓰리다.

아궁지 | 아궁이.

아남팍 | 안팎. '자봉틀도 아남팍이 달른디 월산떡 자네 뉘빔질은 천상 직녀 솜씨네' (재봉틀 바느질 자국도 안팎이 다른데 월산댁 자네 누빔질은 천상 직녀 솜씨네.)

아매 | 아마. '공산떡 자네 용허시 일허고 뻗친디 아매 한 보름 댕겠재?' (공산댁 자네 용하네. 일하고 힘든데… 아마 한 보름 다녔지?)

아먼 | 아무렴.

아배 | (아부지, 아비, 압씨, 아바니) 아버지.

아심찬하다 | (고마운 마음을 포함해서) 애매하게 미안한 마음을 표현하는 말. '논 닷 마지기는 탐나요마는 사람 잡고 패가망신 허깜시 뜻을 못 받들어 아심찬하요' (논 다섯 마지기는 탐이 나지만, 사람을 잡고 패가망신 할까 봐 뜻을 못 받들어 미안해요!)

아조 | 아주.

아집 | 아주머니.

아척 | (아적) 아침.

아까참 | 아까.

안새뚱 | 지명.

안씨랍다 | 안쓰럽다. '안씨라서 감쌀수배끼 없어라'(안쓰러워서 감쌀 수밖에 없어요.)

암서도 | 알면서도.

암시랑토 | 아무렇지도. '내 맘이 암시랑토 안 허것능가' (내 마음이 아무렇지도 않겠는가.)

압씨 | 아비.

앙그다 | 앉다. '아니꺼시네 내가 아까참에 군청 앞 비단집 앙것다가 들은 말이 있니' (아닐 것이네. 내가 아까 군청 앞 비단집에 앉아 있다가 들은 말이 있네.)

앙꿋도 | 아무것도. '죽어불면 앙꿋도 아니여' (죽어버리면 아무것도 아니야.)

앞짜르다 | 앞길 잘라버리다. 길게 보지 않는다. '성님은 어째 앞짜른 말을 하요' (형님은 어째서 짧게 보는 말씀을 하시오.)

야그 | 이야기.

애기씨 | 아기씨, 손아래 시누이.

애럽다 | (애롭다) 어렵다. '내가 요라고 애런 글자를 빼웠는디 어따가 써묵으끄나' (내가 이렇게 어려운 글자를 배웠는데 어디에다 써먹을 것인가.)

애리다 | 어리다. '할무니 애렜을 때도 달이 저라고 컸어요?' (할머니가 어렸을 때에도 달이 저렇게 컸어요?)

애끼다 | 아끼다.

앵기다 | (앵키다) 잡히다. '성자란 년이 대삽으로 끼어 나갈라다가 앵케부렀당께' (성자가 대나무 밭으로 몰래 나가려다가 잡혀버렸다니까.)

어둥이 | 어리숙한 사람을 이르는 말. '서방 박대 받응께 사람이 어둥이 되야가꼬 말도 입속말로 허고 안씨라서 감쌀수배끼 없어라' (서방한테 박대를 받으니까 사람이 어리숙해져서 말도 입속말로 하고 안쓰러워서 감쌀 수밖에 없어요.)

어매 | 어머니.

어야마시 | 야 말이야, 여보게.

어지께 | 어제.

언넝 | 얼른.

언정 | 하소연. '성님 말씀 끝에 내 언정 잔 할라요' (형님 말씀하신 김에 제가 하소연 좀 할게요.)

얼 | 흠.

얼렁 | 얼른.

엄니 | 어머니.

엉거놓다 | 올려놓다. '이불장에 조르라니 엉거노먼 살림 재미가 나재' (이불장에 조르르 올려놓으면 살림

하는 재미가 나지.)

에나 | 아무려면, 진짜. '에나 까토리재 장끼까이' (아무려면 까투리지, 장끼겠어?)

엥가니 | 어지간히. '엥가니 하세야 재 글다가 보따리 싸들고 나 공장 가요 핀지 한 장 냉기고 열차 타불면 어짤라고 그까이' (어지간히 하셔야지. 그러다가 보따리 싸들고 나 공장 가요 편지 한 장 남기고 열차 타버리면 어짤라고 그럴까.)

여그 | 여기.

여럴 | 열흘.

여럽다 | 쑥스럽다, 부끄럽다. '예성님 징하게 여러와서 낮에는 고샅도 못 나오것습디다' (예, 형님, 아주 부끄러워서 낮에는 골목에도 못 나오겠더라고요.)

여럽스럽 | (에럼스럼) 부끄러움이나 민망스러움.

여우다 | 결혼시키다. '길자 즈가부지가 올 설 안에는 여워야겄다고 항께' (길자 아버지가 올해 설 안에는 결혼시켜야겠다고 하니까.)

역상 | 구토나는 얼굴. 꼴 보기 싫은 얼굴. '워메 역상일래 묵을 생각만 놀놀해가꼬 저 지앙시런 거' (어이, 꼴보기 싫어. 먹을 생각만 익어가고 저 부잡스런 거.)

엽엽하다 | 기상이 뛰어나다.

영판 | 아주.

예편네 | (에펜네) 여편네. 자기 아내 혹은 결혼한 여성을 얕잡아 이르는 말.

오늘사 말고 | 하필 오늘. '오늘사 말고 암도 없으면 어짤라고 기별 없이 오셨소' (하필 오늘 아무도 없으면 어쩌려고 기별 없이 오셨어요?)

오사다 | 오사(誤死)하다. 비명횡사하다. '오살 것 벨 소리를 다 허네'(못된 것이 별소리를 다 하네.)

오진 꼴 | '오진 꼴 보다'의 쓰임새로 마음이 오롯하게 흡족하다는 뜻.

옹삭하다 | 옹색하다. 가난하여 살기 어렵다. '즈가부지 난리 때 가불고 어찌 사꼬 했는디 옹삭건 살람이라도 인자 훈짐이 돌아라' (애들 아버지가 난리 때 죽은 뒤 어떻게 살 것인가 걱정했는데 가난한 살림이어도 이제는 훈훈한 기운이 돌아요.)

옴박지 | 옹자배기. 그릇의 일종.

외약눈 | 왼쪽 눈. '외약눈만 끔쩍

해도 너 이놈 좌익 아니냐 허든 시절이여' (왼눈만 끔쩍해도 네 이놈 좌익 아니냐 하던 시절이야.)

요라고 | 이렇게, 요렇게.

용고새 | (옛말) 초가의 지붕마루에 덮는 'ㅅ'자형으로 엮은 이엉.

용코로 | 영락없이.

용댕이 | 영암군 삼호읍 용당리. 영산강 하구 지역 이름.

용치 | 산이 우뚝 솟은 곳.

우멍하다 | 음흉하다. '참말로 우멍한 짓꺼리를 했당께' (정말 음흉한 짓거리를 했다니까.)

우섭다 | 우습다. '긍께 이 사람아 딸이라고 우섭게 이름 지어주먼 쓰꺼싱가' (그러니까 이 사람아 딸이라고 우습게 이름을 지어주면 쓰겠는가.)

우세시럽다 | 우세스럽다. 남에게 놀림을 받을 듯하다. 서방 죽응께 으째 그리고 놈보기 우세시런가 (남편이 죽으니까 어째 그토록 남보기 부끄럽던가.)

우슴엣소리 | (웃음엣소리) 우스갯소리

우하다 | 가득하다. 자욱히 날아와 앉는 모양.

욱 | 위. '월출산 욱으로 보름달 휘영청허니' (월출산 위로 보름달 휘영청하니)

웃묵 | 윗목. 온돌방에서 위쪽 방바닥. '웃묵에 밥 한 그럭 물 한 그럭 떠서 숟꾸락 꼽아놓고 나왔소야' (윗목에 밥 한 그릇 물 한 그릇 떠서 숟가락 꼽아놓고 나왔어요.)

웃질 | 윗길. '입 무겁기가 천황봉 웃질이여' (입 무겁기가 천황봉보다 더 높은 수준이요.)

워너니 | 아주. 훨씬. '영화 봄스로 펑펑 울고 나면 워너니 나서라' (영화를 보면서 펑펑 울고 나면 훨씬 좋아져요.)

워따메 | 아따.

원청 | 원체. '빽다구 있는 반가의 딸이고 시집이 원청 짱짱하니' (뼈대 있는 양반가의 딸이고 시집이 원체 짱짱하니)

웬수 | 원수.

유제 | 이웃에. '수십 년을 너허고 유제서 벗허고 산디' (수십 년을 너와 이웃에서 벗하고 사는데)

윳집 | 이웃집.

으디 | 어디.

으째 | 어째.

으째야쓰까 | (어째야쓰꼬) 이 일은 어찌 하면 좋을까

으짤 | 어떻게 할.

은제 | 언제. '이 시상이 은제까징 이라고 살랑고 했당게요' (이 세상이 언제까지 이렇게 살아야 하나라고 했다니까.)

을매나 | (음마나) 얼마나.

음마 | 어머.

음석 | 음식.

응뎅이 | 엉덩이.

이난소리 | 쓸데없는 소리.

이무럽게 | (이물없게) 허물없게. '시집 온 날부터 이무럽게 엄니엄니 자주도 불러싸요' (시집온 날부터 허물없게 어머니 어머니 자주도 불러요.)

이쁨 | 예쁨.

이약이약 | 오순도순 이야기를 이어가는 모습. '서방이 구루마 끄고 각시가 밀고 감서 머시라고 이약이약 헌디 여간 다정시럽고 저것들이 느저구가 있구나 했네' (서방이 수레를 끌고 각시가 밀고 가면서 오순도순 이야기를 나누던데 여간 다정스럽고, 저것들이 싹수가 있구나 했네.)

인자 | 이제.

입성 | 옷차림.

입초사 | 남의 흉을 보는 사람들의 입놀림. '한 시암 묵고 삼서 안 존 일로 자꼬 입초사에 올리면 사람이 다 눈치가 있는디 유제서 속 내래놓고 살것능가' (같은 샘물 먹고 살면서 안 좋은 일로 자꾸 입방정을 떨면 사람이 다 눈치가 있는데 이웃에서 속 털어놓고 살겠는가.)

자객 | 자격.

자석 | 자식.

자응 | (지명) 장흥.

작것 | 잡것.

작신 | 매 따위를 심하게 맞는 모양.

잔 | 좀. '성용아 너는 잔 으째 그라고 입이 방정이냐 글지 잔 마야' (성용아 너는 좀 어째 그렇게 입이 방정

이냐. 그러지 좀 말아라.)

잘팍 | 예기치 못한 상황에서 만난 순간에 대한 묘사. '장바닥서 잘팍 부닥쳤다능거여 입성은 깨끔허니 갠찮한디 아짐을 보고 낯바닥이 노라니 뱉함서' (장바닥에서 딱 부닥쳤다는 거야. 옷차림은 말끔해 보이고 괜찮은데 아주머니를 보고 얼굴이 노랗게 변하면서)

잡다 | 싶다. '소매통에 미크라불고 잡당께' (오줌통에 밀어버리고 싶다니까.)

장 갈르기 | 장 가르기. 함께 익어 가던 간장과 된장을 분리해내는 작업.

장꽝 | (장깡) 장독대.

잭인 | 작인. 다른 사람의 농지를 빌려 농사를 짓고 그 대가로 사용료를 지급하는 사람.

재피다 | (잽히다) 잡히다. '자응 갱찰서에 잽해 있다가 뭔 사연인가 토벌 갱찰하고 살게 되았다등만이' (장흥 경찰서에 잡혀 있다가 뭔 사연인지 토벌 경찰하고 살게 되었다드만.)

저끄다 | 겪다. '우리가 항꾼에 저끈 날이 장강인디' (우리가 함께 겪은 날이 장강인데)

저라고 | 저렇게.

저븜 | 젓가락.

저서부리다 | (젓어부리다) 마구 휘젓다. '유리창을 뚜드러 뿌스고 아조 학교를 저서부렀능갑써' (유리창을 뚜드려 부수고 아주 학교를 마구 휘저어버린 것 같아요.)

저재 | 시장. '샛것이 마땅찬해서 그바게 저재로 갈치 사러 갔는디' (새참이 마땅찮아서 급하게 시장에 갈치 사러 갔는데)

저참에 | 저번에.

전디다 | 견디다.

전수 | 전부.

정지 | (정지깐, 정재) (옛말) 부엌.

젙 | 곁. '그 개도 으찌케 무섬증이 났능가 죽은 쥔네 젙에서 짖는 소리 한 번 안 내고 우두거니 앉아 있드란다'(그 개도 어찌나 무서웠는지 죽은 주인 곁에서 짖는 소리 한 번 안 내고 우두커니 앉아 있었다고 하더라.)

조깐 | (쪼깐) 조금.

조르라니 | 주르르.

조사부리다 | 잘게 잘라서 다지다. '내 서방이면 폴쎄 조사부렀재 나는

그 꼴 못 봐야 (내 서방이었으면 벌써 잘게 다져버렸지. 나는 그런 꼴 못 참아.)

존 | 좋은. '자네도 딸 있응께 존일 하소 하늘이 굽어볼 것 아닝가' (자네도 딸이 있으니 좋은 일 하게. 하늘이 굽어볼 것 아닌가.)

존갱 | 존경.

좁다 | 매우 가깝고 좋다. '그 여자는 노무 헌 여잔디 머시 그렇고 좁디여 이뻐요?' (그 여자는 남의 헌 여자인데 뭐가 그렇게 좋아요? 예뻐요?)

종우 | 종이.

죽상애 | 죽상어, 제사상에 올리는 상어.

주잔다 | 주저앉다.

중 | 줄. '그리 험허게 죽은 중은 몰랐응게' (그렇게 험하게 죽은 줄은 몰랐으니까.)

즈가부지 | 자기 아버지.

즈거매 | 자기 어머니.

지가 | 제가.

지까심 | (지까슴) 김칫거리. '아까 시암에서 짐치꺼리 짠뜩 시치등만 저녁밥 묵고 뒤아지 밥 주고 지까심 소금 쳐놓고 그럴라먼 잔 늦재' (아까 샘에서 김칫거리를 잔뜩 씻던데. 저녁밥을 먹고 돼지에게 밥을 주고 김칫거리에 소금을 쳐놓고 하려면 조금 늦겠다.)

지달리다 | 기다리다. '우리 성허고 동상하고 항꾼에 지달리재' (우리 형과 동생과 함께 기다리지.)

지둥 | 기둥. '지둥에 뭉꺼놓고' (기둥에 묶어놓고)

지름 | 기름.

지사 | 제사.

지스락 | 처마. '나는 죽지에 새끼들 품고 지스락 속에 잠든 참새가 될라네'

지시다 | 계시다. '영감님 지시는 성님이 못 오시재'(남편 계시는 형님이 못 오시지.)

지시락물 | (지스락물) 낙숫물.

지앙시럽다 | 개구지다, 부잡스럽다.

지울다 | 기울다.

지집 | 계집.

지천하다 | 꾸짖다. '우리 함마니는 그란 중 알고 큰소리로 지천했다요' (우리 할머니는 그런 줄 알고 큰소리로 꾸짖었다 하대요.)

질 | 길. '읍교회서 오는 질인가?'(읍 교회에서 오는 길인가?)

질로 | 가장. '나는 꽃 중에 찔레꽃이 질로 좋아라' (나는 꽃 중에 찔레꽃이 제일 좋아요.)

짐생 | 짐승.

짐치 | 김치.

짓상 | 제사상.

징상스럽다 | 증상맞다.

징하다 | 징그럽다. 정도가 심하다.

징허게 | (징하게) 매우.

짚이 | 깊이.

짜구 | 배가 불러 터질 것 같은 상태.

찌빡 | 갑자기 마주치는 모양, 혹은 깜빡 잊어버림.

짜잔하다 | 못나다. '지가 짜잔헝께 그 사람이 맘을 못 잡어라' (제가 못나서 그 사람이 마음을 못 잡어요.)

짠하다 | 가엾다. '오메 윤바우 짠해서 으짜끄나' (아이고, 윤바우 가여워서 어쩐다냐.)

째다 | 도망치다.

쩌번참께 | 지난번에.

쪼까 | (조까) 조금.

쮜시다 | (쭈시다) 쑤시다.

찌끄르다 | 뿌리다.

찌렁내 | 지린내.

차가그만이라 | 채워져가네요

창가 | 노래. '시종떡 자네는 창가 잘 한께 꾀꼬리 되꺼시네잉' (시종댁 자네는 노래를 잘 부르니까 꾀꼬리가 될 것이네.)

창아리 | (창시) 창자.

채더 | 훨씬 더. '갈 가차우먼 별이 채더 말개지는 것 같지야' (가을이 가까워지면 별이 훨씬 더 맑아지는 것 같지?)

철선 | 철로 만든 배. '내가 용댕이서 철선 내릴 때 광맹이가 손 잡아줬어야 (내가 용당리에서 철선에서 내리는데 그때 광맹이가 손을 잡아줬어.)

총구 | 총기. 총명한 기운. '워따메 자네는 총구가 존께 그럴 것도 안 이자부리네이' (아따, 자네는 총명하니 그런 것도 안 잊어버리네.)

치아스라 | 치웠거라. '동네서도 누가 저리 치아스라고를 못 해' (동네에서도 누가 그만두라고를 못 해.)

칙간 | 측간. 옛날 화장실.

커나다 | 자라다. '그적에는 사람이 짐생이나 한가지였응께 동네서 한

테 커난 동무헌테 손꾸락총 놔 서 끄서가는 일을 생각이나 해봤능가'(그 적에는 사람이 짐승이나 한가지였으니까 동네서 함께 자란 동무한테 총을 겨누며 끌고 가는 일을 생각이나 했겠는가.)

타읍 | 협의, 타협. '아척에도 우리 영감님허고 소작 땀시 이라고 저라고 타읍 허고 가든디 이것이 먼 소리당가'(아침에도 우리 남편과 소작 때문에 이런저런 협의하고 갔는데 이게 뭔 소리인가?)

탁하다 | 닮다. '인자 봉께 화순떡 자네 딸이 군내 백일장 장원 헌거시 어매 탁애서 글구만'(지금 보니까 화순댁 자네 딸이 군내 백일장에서 장원한 것이 엄마 닮아서 그런 것이구만.)

태끼레지다 | 그릇 가장자리 일부분이 살짝 떨어져 나가다. 이가 빠지다. '독아지 뚜껑 내래놀 때 조심하소이. 까딱 허먼 태끼레징께'(항아리 뚜껑을 내려놓을 때 조심하게. 까딱하면 가장자리가 깨지니까.)

텡게 | 테니까.

퇴깽이 | 토끼.

팽등 | 평등.

팽상 | 평상.

팽생 | 평생.

팽야 | 어차피. '혼연해도 팽야 내 우간에 그 집 담살이허고 사셌제라'(혼인해도 어차피 두 부부가 그 집 머슴살이를 하고 사셨지요.)

페뱅 | 폐병.

펜들다 | 편들다.

펜하다 | 편하다.

포도시 | 겨우. '포도시 눴다 앉었다 허신단디'(겨우 누웠다 앉았다 하신다던데)

폴다 | 팔다. '저제서 폴고 남었단디'(시장에서 팔고 남았는데)

폴쎄 | 벌써. '그노무 자석 폴쎄 날 샜구만'(그놈 자식 벌써 가망이 없네.)

퐅 | (퐅) 팥.

폴다불 | 팥다발.

풋것 | 푸성귀.

풀치 | 갈치의 일종으로 몸통이 가늘어서 말려서 졸여 먹는 생선.

풍신 | 하는 짓이 어리고 같잖지만 밉지는 않은 사람. '오메 풍신 시종 떡 너나 홈빡 친해지고 미남자 도채

비허고 정분도 나고 그래라이'(아이고 까불이 시종댁, 너나 흠뻑 친해지고 잘생긴 도깨비와 사랑을 나누고 그래라)

핀지 | 편지.

하나씨 | 할아버지.

하님 | 여자 종.

하로 | (하레) 하루. '하레내 퐅 뜨들고 채질허드만 저재를 은제 댕개왔능가?' (하루 내내 팥 뜨들기고 채질하더니만 시장을 언제 다녀왔는가?)

하매 | 아마. '하매 열 살이나 되았을 거시네' (아마 열 살이나 되었을 것이네.)

학독 | 돌로 만든 조그만 절구. 주로 보리쌀을 넣어 갈기 위해 사용한다.

한나 | 하나.

한삐짝 | 한쪽 구석. '난초 하나씨가 개금바우서 개금 치고 난초허고 나는 한삐짝에 앙거서 듣는디' (난초 할아버지가 개금바위에서 가야금을 치고 난초와 나는 한쪽에 앉아 듣는데)

한태기 | 하나도. '태기'는 '밥알'의 낱알.

한테 | 한데서. 한 곳에서. 함께. '한테 커난 동무' (함께 자란 동무)

함마니 | (할무니) 할머니.

함서도 | 하면서도.

함시로 | 하면서.

항꾼에 | 함께. '남녘으로 쫓게올 때 항꾼에 따라 왔다요' (남녘으로 쫓겨올 때 함께 따라왔다고 해요.)

허다 | 하다.

허드라여 | 했다고 하대요.

험께 | (함께) 하니까.

호녁 | 홍역.

호랑 | 호주머니.

호맹이 | 호미.

호열자 | (옛말) 콜레라.

호창 | 홑청. 요나 이불 따위의 겉에 씌우는 홑겹으로 된 껍데기.

혹간 | 혹시.

혼연 | 혼인. '혼연은 속 아는 가찬 데 사램허고 허는 거시 좋다는 말이재' (혼인은 속을 아는 가까운 데 사람하고 하는 것이 좋다는 말이지.)

혼차 | 혼자.

혼짝 | 혼쭐.

훗집 | 가랍집. 외거 노비가 거주하는 집. '효녜네 훗집으로 먼 사나그가 한나 와서 살대' (효녜네에 딸린 오두막집으로 어떤 사내가 한 명 와서 살대.)

홍재 | 횡재.

후라이 | 뻥침. 과장해서 말함. '아야 화순떡아 아무리 근다고 칠십리까장 으찌케 보인다냐 선전할라고 후라이를 칭 거시새' (야, 화순댁아, 아무리 그렇다고 칠십리까지 어떻게 보이겠냐. 선전하려고 거짓말을 한 것이지.)

후제 | 나중에. '후제 찾어 왓드랑가' (나중에 찾으러 왔다던가?)

훔빡 | 흠뻑.

독서가를 위해

정
성
껏
만 든 책

이소노미아 도서는
후회하지 않습니다

여성의 종속	존 스튜어트 밀 | 2022-05-15 | 정미화 옮김 | 281쪽 | 15,000원
	이제 와 돌이켜 보면, 여성들이 어떻게 여기까지 올 수 있었는지.
철학단편선 생각하는 사람을 빛나게 도와주는 할아버지들	키르케고르, 임마누엘 칸트, 파르메니데스 | 2022-04-15 서미나 옮김 | 158쪽 | 10,000원
	생각을 풍성하게 만들어 주는 지혜의 책.
엥케이리디온 내 맘대로 되지 않는 세상에서 살아남고 싶을 때	에픽테토스 | 2022-03-15 | 신혜연 옮김 | 172쪽 | 12,000원
	외투 주머니 속에 넣고 다니며 매일 한 문장 씩 읽고 싶은 삶의 지혜.
바다의 발견	김영춘 | 2022-02-15 | 268쪽 | 15,000원
	아, 대한민국은 해양국가였지. 잊고 있던 당 연한 사실을 일깨우는 죽비 같은 책.
공리주의	존 스튜어트 밀 | 2022-01-12 | 정미화 옮김 | 212쪽 | 12,000원
	인문 고전 번역의 새로운 모범을 찾는다면, 그리고 지적인 자극이 필요하다면.
아오지까지	조경일 | 2021-12-15 | 204쪽 | 13,000원
	소설보다 더 소설 같고 영화보다 더 영화 같 은 체험담. 세 번 탈북한 소년의 나라는?
웃음	앙리 베르그송 | 2021-11-15 | 신혜연 옮김 | 260쪽 | 12,000원
	재능 과다의 철학자가 펼쳐 내는, 아, 이 깊 고 풍요로운 웃음의 세계란.

수상록	정세균 | 2021-04-15 | 310쪽 | 15,000원
	올바름에 관한 탁월한 에세이. 한국 정치에 이런 깊이와 따뜻함이 있었다니.
고통에 대하여	김영춘 | 2020-12-22 | 372쪽 | 18,000원
	너무 재미있고 감동적이라 첫 장을 펼치면 끝까지 읽게 되는 숨가쁜 책.
휴머니타리안 솔페리노의 회상	앙리 뒤낭 | 2020-11-05 | 편집부 옮김 | 272쪽 | 15,000원
	인류사를 바꾼 기념비적인 책을 찾는다면.
굿머니	김효진 | 2020-11-02 | 260쪽 | 15,000원
	내가 기부하는 돈이 이렇게 흘러가는구나. 이렇게 따뜻하고 인간적인 돈이라니.
스물여섯 캐나다 영주	그레이스 리 | 2020-09-25 | 176쪽 | 12,000원
	인생의 플랜 B는 언제나 우리 곁에 있다. 그 사실을 알아가는 젊은 에세이
무너져 내리다	스콧 피츠제럴드 | 2020-05-25 | 김보영 옮김 | 332쪽 | 15,000 원
	이런 신비한 책은 본 적이 없다. 그래서 사람들이 피츠제럴드, 피츠제럴드 하는구나.
소나티네	나쓰메 소세키 | 2019-04-30 | 김석희 옮김 | 304쪽 | 15,000 원
	이것이 나쓰메 소세키. 일본문학의 정수를 체험하고 싶은 독자에게는 선물 같은 책.

최면술사	마크 트웨인 | 2019-03-25 | 신혜연 옮김 | 216쪽 | 13,000 원
	읽는 내내 키득거리게 만드는 유쾌한 책. 지루할 틈이 없다.
굿윌, 도덕 형이상학의 기초	임마누엘 칸트 | 2018-09-04 | 정미현 외 2인 | 236쪽 | 13,000원
	도덕철학사에서 가장 중요한 한 권의 책. 독서를 통해 직접 칸트를 이해하고 싶다면.
WHY	버지니아 울프 | 2018-09-04 | 정미현 옮김 | 184쪽 | 12,000원
	버지니아 울프를 제대로 알고 싶다면, 그녀가 던지는 '왜'라는 질문에 먼저 입문하기를.